POP Pilates,
UN CORPS DE RÊVE
TOUTE L'ANNÉE
avec CASSEY HO

POP Pilates,
UN CORPS DE RÊVE
TOUTE L'ANNÉE
avec CASSEY HO

LE PROGRAMME DE POP PILATES POUR AFFINER SA SILHOUETTE,
MANGER ÉQUILIBRÉ ET SE SENTIR BIEN EN TOUTE SAISON,
DANS SON CORPS COMME DANS SA TÊTE

CASSEY HO

hachette
FORME

Édition originale

Copyright © 2015 : Cassey Ho et oGorgeous Inc.

Tout droit réservé.

Publié aux États-Unis sous le titre *Cassey Ho's Hot Body Year-Round*,

par Harmony Books, une maison d'édition du Crown Publishing Group

(Random House LLC – Penguin Random House Company), New York.

www.crownpublishing.com

Harmony Books est une marque déposée de Random House LLC.

Conception graphique de l'ouvrage : Jennifer K. Beal Davis

Photographies : © 2015 Sam Livits

Photographies : © 2015 David Kim

Conception graphique de la couverture : Gabriel Levine

Photographie de couverture : Mike Rosenthal

Création des éléments de la couverture : Shuttterstock/Alexander Tihonov (arrière-plan) ;

Shuttterstock/Picsfive (becquets) ;

Shuttterstock/Mtkang (cadre photo) ;

Shuttterstock/Lainea (masking tape) ;

Shuttterstock/jannoon028 (pages de carnet)

Édition française

© Hachette Livre (Hachette Pratique), 2016

Traduction : Paula Lemaire

Révision : Mireille Touret

Mise en page : Patrick Leleux PAO

Relations Presse : Johanna Rodrigue (jrodrigue@hachette-livre.fr)

69-6574-01-4

ISBN : 978-201396488-3

Dépôt légal : mars 2016

Achevé d'imprimer en janvier 2016 par Gráficas Estella (Espagne)

PAPIER À BASE DE FIBRES CERTIFIÉES

hachette s'engage pour l'environnement en réduisant l'empreinte carbone de ses livres. Celle de cet exemplaire est de : 0,70 kg éq. CO₂ Rendez-vous sur www.hachette-durable.fr

Je dédie ce livre à toutes les fans
de POP Pilates : sans vous, je n'aurais
jamais pu vivre de ma passion
et réaliser mes rêves.

SOMMAIRE

Salut les filles !

Je reviens tout juste de Boston où j'ai donné un cours de POP Pilates devant plus de 500 filles surmotivées ! Des rangées de tapis de yoga alignés les uns à côté des autres et des centaines de personnes – moi compris – qui s'amusent et se dépensent ensemble : dans de pareils moments, j'ai l'impression qu'on se connaît depuis toujours ! C'est ça, la magie de Blogilates. Et c'est vous qui l'avez rendue possible. À bord de l'avion qui me ramène vers Los Angeles, alors que je me masse les zygomatiques douloureux d'avoir tant ri et que je regarde mes doigts encore tachés par l'encre du marqueur que j'ai tenu pendant plus de quatre heures pour dédicacer vos tapis de yoga, je me sens profondément émue en repensant à cette expérience.

Quand, à la fin de mes études, en 2009, j'ai mis en ligne ma première vidéo de Pilates sur YouTube, jamais je n'aurais imaginé qu'elle me mènerait jusqu'ici. Je n'avais pas prévu que les choses prendraient une telle ampleur mais je suppose que, quand on se laisse guider par sa passion et qu'on décide de consacrer son existence à faire uniquement ce qui nous rend heureux, la chance ne peut que finir par nous sourire. On vit pour soi, pour ceux qu'on aime et qui nous aiment en retour, et rien de bon ne peut nous arriver si on passe notre temps à se plier en quatre pour faire ce que les autres attendent de nous.

Quand j'étais plus jeune, j'étais une enfant très obéissante, studieuse, et qui ne ramenait que d'excellentes notes à la maison. J'étais celle sur qui on demandait à copier pendant les interrogations écrites. En vieillissant, cette image est devenue pesante pour moi et j'ai eu de plus en plus de mal à l'assumer. Au lycée, je cumulais les options facultatives et j'étais capitaine de l'équipe de tennis, ce qui, bien sûr, rendait mes parents très fiers de moi. Or, dans ma culture – je suis d'origine sinovietnamienne –, on ne plaisante pas avec la réussite scolaire ; ni avec la réussite professionnelle d'ailleurs. De ce fait, quand est arrivé le moment fatidique de choisir une université, seuls deux choix s'offraient à moi : médecine ou droit. Toute autre voie était absolument inenvisageable.

Au fond de moi cependant, j'ai toujours nourri l'espoir de devenir créatrice de mode. J'étais naturellement douée pour croquer des silhouettes et des vêtements. À l'âge de 10 ans, j'avais déjà toute une collection de classeurs remplis de croquis de robes haute couture. Quand j'ai expliqué à mon père que je voulais étudier la mode et le design, il m'a passé un savon dont je me souviens encore. Il m'a dit que je ne réussirais jamais dans ce métier, que je ne parviendrais jamais à en vivre et que je ne me ferais jamais d'amis. C'était « impossible ». Je me souviens avoir pleuré toutes les larmes de mon corps à cette annonce, au point de ressembler à un lapin atteint de myxomatose tellement mes yeux étaient rouges et gonflés.

De là, je suis partie étudier la biologie à Whittier College pour préparer l'entrée en médecine. Ce n'était pas inintéressant mais le cœur n'y était pas. Je me sentais vide à l'intérieur et je me répétais : « Accroche-toi, Cassey, c'est juste un mauvais moment à passer. »

C'est à cette période que le Pilates a pris une place centrale dans ma vie. J'étais si stressée que je pratiquais tous les week-ends et même entre les cours. N.B. : j'ai commencé le Pilates à 16 ans alors que je m'étais inscrite à un concours de beauté et que j'avais par conséquent besoin de me muscler rapidement. J'avais vu une pub à la télé pour un DVD, je l'ai acheté et, depuis, je suis restée accro ! Non seulement le Pilates m'a permis de me sculpter des abdos en béton armé, mais aussi de remporter ce concours de miss !

À la fac, j'étais donc déjà bien mordue et je motivais même mes amies à faire du Pilates avec moi dans le foyer de notre résidence universitaire ! Un jour, en lisant les petites annonces du journal local, j'ai vu que la salle de sport de mon quartier cherchait un professeur de Pilates. Je savais que je n'avais *a priori* pas les qualifications requises mais j'ai tout de même postulé en me disant : « Qui ne tente rien n'a rien. »

À ma grande surprise, mon style a plu aux gérants du studio qui ont proposé de me financer une formation pour devenir professeur certifié. Ils ont parié sur moi simplement parce qu'ils croyaient en mon potentiel : voilà le genre d'opportunité qui ne se présente qu'une fois dans une vie et qui peut tout changer.

À partir de là, je me suis découvert une véritable passion pour l'enseignement. J'arrivais à la salle de sport lessivée après de longues heures passées au labo, je donnais mon cours et je rentrais à la maison en ayant l'impression regonflée à bloc. Voilà l'effet que le Pilates avait sur moi. Et c'est encore le cas aujourd'hui ! C'est pour cette raison que je n'arrêterai jamais d'enseigner. Le Pilates a toujours été là pour moi ; et il le sera toujours.

Quand mon père a appris que je travaillais en dehors de mes cours, il n'a eu de cesse de me demander d'arrêter et de me consacrer à mes études. Il disait que cette expérience ne me servirait à rien dans la vie. Alors qu'est-ce que j'ai fait ? Je me suis investie encore plus dans le Pilates. Et j'ai laissé tomber la seule matière – chimie organique – où il me manquait des points pour rentrer en médecine. C'était une manière de saboter mes études ou, disons plutôt, d'échapper à une vie que je ne voulais pas. Je ne vais pas vous mentir cependant en vous disant que j'étais inflexible et que j'ai fait preuve d'une détermination sans faille dans cette épreuve : non, j'étais pétrifiée à l'idée de faire le mauvais choix et j'ai repris trois fois les cours avant d'abandonner pour de bon l'idée d'entrer en médecine. J'ai cru que mes parents allaient devenir dingues.

Tout en poursuivant mes études de biologie, je me suis alors plongée corps et âme dans ma passion pour le design et, en dernière année, j'ai fusionné mon goût pour le fitness et mon amour pour la mode en dessinant une ligne de sacs de yoga haut de gamme que j'ai appelée *oGorgeous*.

C'est là que mes parents ont décidé de ne plus m'adresser la parole.

Esseulée et rongée par le doute, j'ai déménagé sur la côte Est dès que j'ai eu mon diplôme en poche pour mettre un maximum de distance entre mon ancienne vie et moi. Toujours dans l'optique d'intégrer le monde de la mode, j'ai décidé d'accepter un poste de responsable des achats. Mais avant de prendre cet aller simple pour l'autre bout du pays, j'ai tourné une vidéo d'adieu pour mes élèves de Los Angeles. Je n'avais pas envie de les quitter et je ne voulais pas qu'ils aient l'impression que je les abandonnais, alors je leur ai concocté une séance full body de 10 minutes que j'ai filmée avec une petite caméra numérique et postée sur ce petit site qu'on appelle YouTube.

Dès mes premiers jours de boulot, l'ambiance nauséabonde qui régnait sur mon lieu de travail m'a immédiatement prise à la gorge ; mes collègues étaient des filles mauvaises, obnubilées par la mode et qui ne se souciaient que de leurs propres intérêts. Mon cœur se brisait un peu plus chaque jour et mon âme partait en lambeaux. Je n'avais rien à faire là et j'ai commencé à perdre mon meilleur atout : mon assurance. La seule chose qui me tenait la tête hors de l'eau était le cours de Pilates que je donnais chaque soir dans la salle de sport du coin.

Et c'est alors qu'environ 6 mois après mon déménagement, un miracle s'est produit. Ma sœur m'a envoyé un MMS avec une photo floue d'une page de *Shape magazine* sur laquelle je distinguais vaguement ce qui semblait être à un sac de yoga... Et là, mon cœur a fait un bond.

J'ai dit à mes collègues et mon patron qu'il fallait que je prenne ma pause déjeuner plus tôt que prévu, ce à quoi ils ont répondu en levant les yeux au ciel. J'ai couru au rayon presse de l'hypermarché d'à côté, saisi le premier *Shape* que j'ai trouvé et tourné fébrilement les pages. J'avais les mains moites et je tremblais comme une feuille. Et c'est là que je l'ai vu. Le sac de yoga que j'avais dessiné était là, dans un article sur le matériel de fitness à avoir à tout prix, en plein milieu d'un magazine diffusé à l'échelle nationale. Je n'arrivais pas à le croire ; je me suis mise à pleurer comme une madeleine...

Avec le recul, je me rends compte que la décision que j'ai prise à la suite de cet événement aurait pu causer ma perte ; mais, au fond de moi, j'avais cette certitude que tout allait bien se passer. Je ne savais pas dans quoi je m'embarquais ni comment j'allais gagner ma vie, mais ce dont j'étais sûre, c'était que je ne pouvais pas rester là une seconde de plus. Alors j'ai démissionné. Impossible de faire autrement.

L'espoir était la seule chose qu'il me restait. Je m'y suis accrochée et j'ai décidé intérieurement de mettre toutes les chances de mon côté pour mener mon projet à bien. Il fallait que je m'investisse à 110 % ou pas du tout. Le vendredi, j'ai acheté un billet d'avion pour la Chine et je suis partie le dimanche, avec une seule idée en tête : trouver un fabricant. C'était une idée folle. J'étais folle. Mais il était temps de voir les choses en grand.

À mon retour, j'avais trouvé un fabricant mais un délai de trois mois était nécessaire avant de pouvoir lancer la fabrication des sacs. En attendant, j'ai demandé à augmenter mes heures à la salle de sport pour pouvoir payer mon loyer et je suis passée de deux à douze cours de Pilates par semaine. C'est à cette période que j'ai vraiment pu développer mes compétences en tant que coach sportif. Je me suis investie au point de ne faire plus qu'un avec les mouvements, la musique et mes élèves. Quand j'ai pris conscience que le Pilates ne se résumait pas nécessairement à un enchaînement de mouvements lents et qu'on pouvait aussi en faire une version plus ludique, dynamique et exigeante, j'ai imaginé le POP Pilates. Mes élèves avaient l'air d'apprécier et d'être prêtes à relever le défi, alors j'ai développé le concept !

C'est également à cette période que, encouragée par le nombre impressionnant de commentaires générés par la séance de full body que j'avais postée sur YouTube à la fin de mes études, j'ai décidé de mettre plus de vidéos en ligne. J'ai eu de plus en plus d'abonnés et l'enthousiasme autour de la communauté Blogilates s'est répandu comme une traînée de poudre. Je me faisais un devoir de prendre en compte les commentaires qu'on m'adressait et, avec des centaines de millions d'abonnés, Blogilates est devenu la chaîne consacrée au fitness la plus populaire de YouTube ! C'était surréaliste.

C'est à vous, mes élèves, que je dois ma réussite professionnelle. Je ne vous remercierai jamais assez d'avoir fait de moi le professeur de Pilates que je suis. Grâce à votre enthousiasme et à votre engouement pour un mode de vie plus sain et actif, je peux aujourd'hui partager ma passion avec des millions de gens. C'est un rêve que je ne pensais jamais pouvoir réaliser.

C'est également grâce à vous que je peux aujourd'hui dessiner des vêtements comme j'ai toujours voulu le faire, que je peux en vivre et me faire plein d'amis ; bref, réaliser tous ces rêves qu'on m'avait dit être « impossibles ».

Voilà le message que je voudrais vous faire passer : tout est possible dans la vie, du moment que vous vous fiez à ce qui vous paraît juste et que vous restez à l'écart de tout ce qui vous

semble contre-nature. C'est en suivant ce conseil que vous vous fraierez un chemin dans la vie et que vous trouverez votre place. Seule une personne peut diriger votre vie et décider de votre destinée : et cette personne, c'est VOUS.

J'espère que mon histoire vous incitera à écouter ce que vous dicte votre cœur, quels que soient les obstacles que vous rencontrez en chemin, ou le nombre de personnes qui doutent de vos capacités. Croyez en vous.

Si vous faites preuve de persévérance et de constance dans vos objectifs, rien ne pourra vous arrêter. Quand Blogilates est devenu un véritable phénomène Internet, mes parents ont fini par comprendre que j'étais hors de danger. Ils ont arrêté de s'inquiéter pour mon avenir, mon éducation et ma carrière. Ils voyaient leur fille heureuse, étaient témoins de mon épanouissement personnel et, au final, c'est tout ce qu'ils ont toujours souhaité pour moi. Il a simplement fallu que je leur montre que le chemin de la réussite pouvait se faire hors des sentiers battus. Aujourd'hui, mes parents assistent à tous mes meetings et ils viennent même déguisés quand j'organise des séances d'entraînement à thème ! C'est tout bête mais ça me fait beaucoup rire. Merci à vous, donc, d'avoir adhéré à Blogilates comme vous l'avez fait, puisque c'est grâce à ce succès que j'ai pu renouer avec mes parents.

Je vous dédie donc ce livre en guise de remerciement pour m'avoir aidée à prendre confiance en moi et à faire de Blogilates la communauté fitness la plus positive et dynamique qui soit.

Pour réaliser les superbes photos que vous verrez dans ce livre, j'ai dû me rendre dans les somptueux déserts de sel de l'Utah, sur les plages baignées de soleil de Malibu et dans les forêts aux feuillages flamboyants du Massachusetts. Pendant ces séances photo, Mère Nature nous en a fait voir de toutes les couleurs, mais n'est-ce pas toujours quand on nous met des bâtons dans les roues que notre créativité s'exprime le mieux ?

Ce que j'aime dans les changements de saison, c'est qu'ils me permettent de repartir sur de bonnes bases quatre fois par an ! C'est un vrai plaisir pour moi de faire le point sur mes objectifs et de les adapter en fonction de mon environnement naturel. À chaque saison, les températures varient, tout comme nos tendances vestimentaires, les produits que l'on trouve sur les étals du marché et même notre humeur. Or, je pense qu'il est capital de profiter de ces changements et de les voir comme des sources perpétuelles de motivation.

Ainsi, ce livre vous aidera à tirer la quintessence de chaque saison et à relever tous les défis qui leur sont associés. En été, par exemple, on fait toutes une petite fixette sur notre corps, du fait qu'il va falloir le dévoiler à la plage. Profitez donc du soleil pour vous entraîner en plein air : le beau temps vous motivera à fournir encore plus d'efforts pour muscler votre corps – et, bien entendu, pour vous sentir à l'aise et sexy en bikini !

Puis, le fond de l'air fraîchit, on ressort les gilets du placard et on pointe de moins en moins souvent le nez dehors. Ça vous déprime ? Il n'y a pas de raison ! L'automne est la saison idéale pour instaurer un rythme d'entraînement régulier et pour renforcer vos nouvelles habitudes alimentaires en découvrant de nouvelles saveurs toutes aussi délicieuses les unes que les autres !

L'hiver s'articule généralement autour de trois envies : se rouler en boule sur le canapé, rester au chaud et MANGER. Mais, si vous cherchez à vous réchauffer, pourquoi ne pas faire de l'exercice ? Quant à la nourriture, je vous ôte d'un doute : oui, vous allez pouvoir réveillonner et participer sans complexe à toutes les réceptions auxquelles vous serez conviée. Je vous donnerai même tout un tas de recettes spécial hiver, gourmandes mais équilibrées !

Et, enfin, arrivera le printemps, LA saison des bonnes résolutions ! Rien ne vous oblige à attendre 365 jours pour vous fixer de nouveaux objectifs, mais si vous décidez de vous reprendre en main à cette période de l'année, vous bénéficierez du soutien de tous vos amis, votre famille, tout le monde ! Si vous êtes de celles qui ont besoin d'être entourées pour réussir, c'est le moment de vous trouver une copine aussi motivée que vous et de foncer !

Dans ce livre, je décomposerai pour vous les exercices phare du POP Pilates et répertorierai mes recettes préférées, celles qui ont fait leurs preuves en aidant des millions de femmes de par le monde à se bâtir un corps tonique et en bonne santé. Les séances d'entraînement qui suivent ont été conçues pour vous permettre de vous sentir au mieux de votre forme physique et mentale, sans même sortir de chez vous. Comme elles ne nécessitent pas de matériel, vous pouvez en effet les effectuer à la maison comme en déplacement. Si vous avez un tapis de yoga, sortez-le, vous serez plus à l'aise ! Mais sinon, ce n'est pas grave, ce n'est pas obligatoire.

Ne cherchez pas à éluder le sport sous prétexte que vous préférez rester inactive. Il n'y a rien de plus facile et amusant que de bouger son corps ! Ne voyez pas votre séance de sport comme une corvée mais, au contraire, comme un moment à attendre avec impatience. Il n'y a qu'en adoptant ce point de vue que vous intégrerez le sport à votre mode de vie. Dans ces conditions, affiner votre silhouette et stabiliser votre poids ne seront plus une constante bataille ; ce sera simplement le résultat de votre nouvelle vie saine et heureuse. J'ai écrit ce livre pour vous transmettre le goût du sport et j'espère que vous aussi vous chercherez à inciter vos amies à adopter un mode de vie plus sain.

J'ai hâte que vous vous plongiez dans la lecture de ces pages tout en couleurs et que vous vous entraîniez avec moi.

Alors, vous êtes prêtes ?
C'est parti !

♡ *Cassey*

Les origines de la méthode Pilates

Joseph Pilates naît en Allemagne en 1880 d'un père gymnaste de haut niveau et d'une mère naturopathe ; c'est donc tout naturellement qu'il commence à s'intéresser au corps et au mouvement. Enfant, Joseph est atteint de rachitisme et souffre de problèmes articulaires qu'il cherche alors à comprendre et à combattre en étudiant l'anatomie et en pratiquant diverses activités physiques d'origine occidentale et orientale comme le yoga, les arts martiaux, la gymnastique, la boxe, la plongée et le ski. Sa passion le pousse même à analyser les entraînements que pratiquaient les soldats grecs et romains ainsi que la façon dont les animaux se meuvent et s'étirent – preuve que les sources d'inspiration sont partout !

À l'âge de 32 ans, il émigre en Angleterre où il enseigne l'autodéfense aux forces de police et aux agents de Scotland Yard jusqu'à ce que la Première Guerre mondiale éclate. Incarcéré dans un camp de détention à cause de sa nationalité allemande, Joseph profite de ce revers de fortune pour partager sa méthode avec les autres prisonniers. Ainsi, quand une épidémie de grippe particulièrement meurtrière frappe le monde en 1918, Joseph et ses codétenus s'en sortent indemnes. La plupart d'entre eux affirmeront avoir survécu grâce à l'excellente condition physique dont ils jouissaient à l'époque, grâce aux enseignements de Joseph Pilates.

Après la guerre, Joseph regagne l'Allemagne où il travaille comme aide-soignant. Pour éviter que les muscles de ses patients alités ne s'atrophient, il équipe leur matelas d'un système de ressorts, une invention qui donnera plus tard naissance aux appareils actuellement utilisés en Pilates. Il part ensuite pour New York où il rencontre Clara, la femme qui partagera sa vie personnelle et professionnelle. Ensemble, ils créent un studio de Pilates qui devient rapidement le fief de tous les danseurs et comédiens des environs. Ces derniers voient dans les ateliers de Joseph Pilates un excellent moyen de se centrer, de renforcer leur sangle abdominale, de développer leur musculature, leur souplesse, leur équilibre et de se remettre plus rapidement de leurs diverses blessures.

La respiration, la posture et la correction ou le traitement des maladies ou traumatismes physiques ont toujours été au cœur du travail de Joseph Pilates. Dans son studio, Pilates s'appliquait à prendre en compte les particularités de chaque corps et mettait un point d'honneur à varier les exercices dans une quête de bien-être global. Deux séances de Pilates étaient ainsi rarement identiques, ce qui explique pourquoi, par la suite, différents styles de Pilates se sont développés.

Dans son livre publié en 1945, *Return to Life*, Joseph explique que les différents facteurs de stress de la vie moderne (le travail, les longues heures passées dans les transports, l'école, etc.) nuisent à la quête de bien-être physique et mental de chacun et que, grâce au Pilates, nous pouvons recouvrer l'équilibre au sein de notre corps et de notre esprit pour « revenir à la vie ». Accompagné de sa femme Clara, Joseph Pilates a enseigné pendant plus de quarante ans dans son studio new-yorkais. Il a dédié sa vie au bien-être et à la santé d'autrui, en s'inspirant directement de la méthode qu'il avait développée pour lui-même en grandissant.

Qu'est-ce que le POP Pilates ?

Le POP Pilates est né de la fusion entre la méthode Pilates traditionnelle et des exercices de musculation axés principalement vers le renforcement de la sangle abdominale. Cette discipline permet de se muscler rapidement et de façon ludique, d'améliorer son maintien et sa posture. Vous aurez quelques courbatures, certes, mais il faut souffrir pour être belle... et surtout pour être forte ! Attendez-vous aussi à ressentir des effets secondaires : la bonne humeur, le rire et une sensation de bien-être sont ceux qu'on me signale le plus souvent !

Enfin, sachez que le POP Pilates a été mis au point par un professeur de Pilates certifié et une véritable star du fitness – j'ai nommé votre dévouée Cassey !

Comment utiliser ce livre ?

Pour moi, avoir un corps de rêve signifie se sentir bien dans son corps et dans sa tête et être au meilleur de sa forme, tant sur le plan physique que mental. En partant de ce postulat, j'ai voulu que, vous aussi, vous trouviez à travers ce livre la motivation nécessaire pour atteindre vos objectifs, et ce en agissant simultanément sur plusieurs tableaux. Un entraînement sportif se doit ainsi d'être combiné avec une alimentation équilibrée pour obtenir de meilleurs résultats.

Les programmes que j'ai concoctés pour vous dans ce livre s'adaptent à chaque saison et s'articulent autour de quatre éléments principaux.

L'activité physique

Pour chaque saison, j'ai conçu cinq séances originales de POP Pilates, qui ciblent chacune un groupe de muscles précis en fonction de ce que l'on cherche à obtenir. Chaque séance se compose d'une série d'exercices savamment combinés pour donner des résultats optimums. En été, par exemple, on commence par une série intitulée « Oui au bikini, non à la bouée » (p. 96) ; alors qu'en hiver, on opte plutôt pour la série « Objectif fermeté avant les festivités » (p. 223) pour se préparer à réveillonner en beauté – ce qui, au final, nous donne un total de 20 séances parfaitement orchestrées et plus de 120 exercices différents pour vous garantir tous les jours de nouvelles sensations et garder constamment vos muscles sur le qui-vive.

L'ALIMENTATION : Au fil des pages, je vous aiderai également à choisir les bons aliments pour que vos efforts payent et que vous progressiez plus vite. Parce qu'ils sont frais et de saison, ces produits sont à la portée de toutes les bourses et ont le mérite de faire fonctionner l'économie locale. Vous les retrouverez notamment dans les délicieuses recettes et les menus minceur que je vous proposerai un peu plus loin dans ce livre. Mais n'ayez crainte, vous ne serez jamais affamée : les menus proposés sont aussi exquis que nourrissants ! Cela étant, vous aurez également droit à ce que j'appelle des « repas Carpe diem », c'est-à-dire des repas où vous pourrez vous faire plaisir sans restriction et sans réfléchir au nombre de calories que vous ingérez. Après tout, on ne vit qu'une fois !

LA VOLONTÉ : Quand on veut, on peut ! Pour atteindre votre but, il est capital que votre esprit, votre corps et vos objectifs soient tous les trois sur la même longueur d'ondes. Si l'un d'eux flanche, vous courrez potentiellement à la catastrophe ou, du moins vous risquerez de vous décourager. Alors, haut les cœurs ! Vous savez, il m'arrive moi aussi de me sentir au plus bas – si bas que je suis à deux doigts de jeter l'éponge. Or, c'est précisément dans ces moments-là que notre volonté s'affirme, même si, je vous l'accorde, elle a parfois besoin d'un petit coup de pouce... Dans ces cas-là, n'hésitez pas à lire les témoignages que je vous ai laissés en note tout au long de l'ouvrage : ils sont là pour vous remonter le moral et vous aider à reprendre du poil de la bête !

LES ASTUCES ET CONSEILS :

Un peu partout dans l'ouvrage, vous trouverez mes astuces pour rester en pleine forme et en bonne santé dans « Les petits mots de Cassey ». Ces précieux conseils transformeront votre expérience en une source constante d'inspiration !

Légumes
Betterave
Bok choy
Carotte
Céleri
Céleri-rave
Champignon
Choux
Échalote
Épinard
Laitue
Navet

Oignon
Panais
Poireau
Poivron vert

Fruits
Avocat
Banane
Citron
Papaye
Pomme

LES MENUS MINCEUR : Dans les pages qui suivent, vous trouverez quatre grilles de menus qui correspondent à des programmes minceur adaptés à chaque saison. Ces programmes capturent l'essence gustative de chaque période de l'année en vous suggérant des idées de repas ainsi que des recettes détaillées qui vous accompagneront dans votre quête de bien-être. Que votre objectif soit de retrouver la ligne, de garder la forme ou tout simplement de vous sentir mieux dans votre corps, vous trouverez dans ce livre de quoi composer de délicieux petits déjeuners, collations, déjeuners et dîners très simples à réaliser, ainsi que quelques gourmandises pour limiter les risques d'écart.

En combinant une alimentation équilibrée où la qualité prime sur la quantité et une activité physique adaptée, vous perdrez du poids de façon saine et naturelle — d'où l'efficacité des menus minceur et des exercices de Pilates que je vous propose à travers ce livre. Si vous ne cherchez cependant pas spécialement à perdre du poids, ces grilles de menus pourront néanmoins vous aider à entretenir votre ligne tout au long de l'année et vous donner des idées de recettes.

Ainsi, en suivant le programme d'entraînement POP Pilates et les menus minceur, vous ressentirez les bienfaits sur votre corps et votre esprit dès la première semaine et, à terme, vous vous sentirez belle et énergique à l'intérieur comme à l'extérieur. Ajoutez à cela une motivation à toute épreuve et un fervent désir d'adopter un mode de vie plus sain, et vous atteindrez à coup sûr vos objectifs.

Pour aller plus loin, il existe également une myriade d'exercices de POP Pilates à pratiquer chez soi pour se sculpter un corps de rêve. Ces exercices présentent l'avantage de se pratiquer sans matériel (seul un tapis de yoga peut s'avérer utile pour amortir vos mouvements). Ils utilisent uniquement le poids du corps pour remodeler la silhouette, affiner la taille, dessiner les abdominaux,

tonifier les fessiers, raffermir les bras et galber harmonieusement les jambes. Je ne vous cache pas que vous allez sentir vos muscles chauffer au cours de ces exercices, mais c'est parce qu'ils n'ont tout simplement pas l'habitude d'être sollicités ainsi : et ne vous inquiétez pas, je vous indiquerai la marche à suivre ! Alors, accrochez-vous parce qu'il faut en passer par là pour transformer votre corps.

La terminologie POP Pilates

Voici un aperçu des concepts clés que vous retrouverez tout au long de ce livre. Ce sont les bases incontournables du POP Pilates !

LA POSITION DE BASE

De nombreux exercices débutent à partir de cette position de base qui a l'avantage de solliciter la partie haute des abdominaux. Allongée sur le dos, ramenez le haut du tronc vers l'avant en gardant les bras le long du corps, tendus comme pour toucher vos cuisses. Votre tête et vos épaules doivent être suffisamment décollées pour que votre regard porte devant vous, et non vers le plafond. Le bas du dos doit rester plaqué au sol, le plancher pelvien et les transverses contractés, et le nombril aspiré vers la colonne. Il est essentiel de maîtriser cette position pour éviter les tensions dans la nuque.

LE ROLL DOWN

Quand, pour certains mouvements, il vous sera demandé de passer d'une position assise à une position allongée, concentrez-vous sur le bas de votre dos. Imaginez que vous vous teniez assise, le dos bien droit, et que quelqu'un se positionne derrière vous, place ses mains sur votre nombril et vous tire vers l'arrière pendant que vous essayez d'attraper quelque chose devant vous. En contractant ainsi vos abdominaux de façon volontaire, vous décuplerez l'efficacité des exercices.

LA CHAISE RENVERSÉE

Cette position consiste à relever les genoux à la verticale (alignés au-dessus des hanches), tout en pointant les orteils vers l'avant de manière à former un angle droit entre les cuisses et le bas des jambes. Les tibias se trouvent ainsi parallèles au sol.

LA PLANCHE

Cet exercice est excellent pour gainer la sangle abdominale. Pour l'effectuer, il vous faudra répartir votre poids du corps entre vos mains et vos orteils (ou entre vos coudes et vos genoux pour les débutantes). Votre corps doit être telle la planche de bois qu'utilisaient les pirates pour jeter leurs victimes à la mer : parfaitement droit avec les abdominaux serrés et le bassin engagé. Ne cambrez pas le dos et ne remontez pas les fesses : le dos, les fessiers et les jambes doivent tous être alignés sur le même axe.

LA PLANCHE LATÉRALE

Dans cet exercice, votre poids du corps repose sur une paume de main et un pied, ce qui permet de renforcer et sculpter magnifiquement vos épaules et vos obliques. Si vous débutez, prenez appui sur votre genou plutôt que sur votre pied, le temps d'acquérir la force nécessaire.

LA POSTURE DE L'ENFANT

C'est une posture de repos qui consiste à s'asseoir sur les talons et à laisser le buste reposer sur les cuisses, bras étirés vers l'avant et tête relâchée sur le tapis.

LE SQUAT SUMO

Malgré son nom peu engageant, cette position est un incontournable pour tonifier les cuisses et les fessiers ! Elle se pratique les jambes écartées, les orteils tournés vers l'extérieur et consiste à plier les genoux et à descendre le coccyx vers le sol (squat), tout en gardant le dos bien droit.

LA SANGLE ABDOMINALE (CENTRAGE)

Cette expression que vous rencontrerez à de nombreuses reprises dans ce livre désigne la partie de votre corps qui comprend vos grands droits, vos obliques et vos transverses. Pour schématiser, disons par exemple que, si vous attachiez une ficelle autour de votre taille, votre sangle abdominale correspondrait à tous les muscles qui toucheraient cette ficelle. Également appelée « centre », la sangle abdominale est un concept clé de la méthode Pilates : c'est elle qui régit votre équilibre, votre posture et qui fait office de centrale énergétique.

CHAPITRE 1
LE PROG

RAMME

L'alimentation
à adopter
pour afficher
un corps de rêve,
toute l'année

MANGER SAIN : LEÇON N° 1

Avant d'apprendre à se dépenser, il est bon de savoir comment alimenter correctement son corps en carburant. Suivez ces quelques recommandations et vous vous sentirez tonique, forte et pleine d'énergie.

Notre alimentation joue en effet un rôle prépondérant dans la façon dont notre corps fonctionne. Une peau saine, des ongles et des cheveux forts et brillants sont signe d'une alimentation équilibrée et d'une bonne santé générale. Les organes internes, le niveau d'énergie, le poids et la longévité sont également de bons indicateurs de l'état de santé d'une personne.

Concrètement, manger sain revient à composer des repas avec les mêmes produits que ceux que l'on utilisait jadis, avant l'essor de l'industrie agro-alimentaire, à reprendre contact avec la nature en optant pour des produits frais, de la viande issue d'animaux élevés en plein air, des céréales complètes et des boissons sans sucre ajouté. C'est le secret pour arborer un corps de rêve tout au long de l'année !

Vous trouverez dans ces pages des outils pour vous aider à manger équilibré pendant une année entière (mais vous pourriez tout aussi bien appliquer ces conseils toute une vie !). Vous apprendrez à choisir les bons produits et à élaborer des menus aussi simples que délicieux à base des produits de saison !

Pour commencer, étudions les rayonnages des supermarchés. Peut-être l'avez-vous déjà remarqué mais les grandes surfaces disposent en effet les produits frais et périssables – fruits, légumes, viande, poisson et produits laitiers – sur les pourtours de la surface de vente. Les aliments industriels en revanche, sont rangés sur les rayons du milieu, là où ils pourront rester longtemps sans périr grâce à l'impressionnante quantité de conservateurs qu'ils renferment. Ces produits sont en effet bardés de sel, d'acides gras saturés, d'additifs et de colorants qui reproduisent artificiellement les qualités visuelles et gustatives du produit de base pour lui conférer une plus longue durée de vie. Plus leur liste d' « ingrédients » est chargée (regardez toujours la composition !), plus votre corps se sentira lourd en les ingérant.

À l'inverse, si vous privilégiez les produits frais et les aliments complets, votre corps se fera léger et vous aurez une sensation d'équilibre. Voici quelques-unes de mes astuces pour faire les bons choix !

* Au supermarché, concentrez-vous sur les rayons frais (produits laitiers, viande, poisson, tofu) et les rayons primeurs (fruits et légumes).

* Lisez bien les étiquettes : si la liste des ingrédients est plus longue que votre liste de courses, il y a de grandes chances pour que le produit en question soit peu recommandable. De même, si certains ingrédients portent des noms qui vous paraissent obscurs, c'est qu'ils ne sont probablement pas naturels. On oublie !
  * Évitez également les produits aromatisés comme les yaourts, les compotes, etc. : achetez-les plutôt nature et aromatisez-les vous-même. Vous serez ainsi certaine qu'ils ne renferment pas des additifs inutiles.

* Privilégiez la viande maigre, provenant d'animaux nourris à l'herbe ou pêchés en haute mer pour les poissons. Vous réduirez ainsi votre consommation involontaire d'hormones, de nitrites et d'additifs. De plus, les animaux issus de l'élevage intensif vivent tellement les uns sur les autres qu'ils finissent par ingérer les déjections de leurs congénères, ce qui est particulièrement malsain d'abord pour les animaux, mais aussi pour le consommateur. Une solution simple consiste à ne plus acheter les yeux fermés et à s'orienter vers des aliments de qualité, même s'ils sont un peu plus chers. Par exemple :
  * Pour la viande, vérifiez que l'étiquette comporte la mention « élevé en plein air », « nourri à l'herbe » ou encore « sans nitrites (ou nitrates) ».
  * Pour le poisson, cherchez la mention « sauvage », « pêché à la ligne » ou « pêché en haute mer ».

* Intégrez les céréales complètes dans votre alimentation : flocons d'avoine, quinoa, blé complet, riz complet...
  * Évitez les produits dits « instantanés » ou « à cuisson rapide ». Plus un plat est rapide à préparer, plus il a été transformé et a perdu ses nutriments et ses fibres.

* Vérifiez systématiquement la quantité de sucres ajoutés. S'il y en a trop, reposez le produit.
  * Pour le petit déjeuner, optez pour des céréales complètes avec 8 g de sucre maximum. Vous pourrez toujours les agrémenter avec vos fruits ou épices préférés. Dans mon porridge de quinoa (p. 82), par exemple, j'ajoute du citron, des cerises et de la cannelle pour apporter une note plus sucrée.

Maintenant que vous avez fait le plein de bonnes choses au supermarché, vous avez tout ce qu'il faut pour satisfaire votre gourmandise en préparant des repas sains : petits déjeuners, déjeuners, dîners et même desserts ! En effet, il est indispensable de faire de votre cuisine un terrain de jeu, un espace où vous pourrez jouer avec les produits de saison et avec les saveurs. Vous verrez d'ailleurs plus loin que toutes les recettes que je vous propose peuvent s'adapter en fonction des saisons. La pizza sans pâte aux figues et au romarin (p. 135) peut, par exemple, devenir une pizza sans pâte à la courge et à la sauge en hiver ou aux mûres et à la menthe en été. De même, mes quesadillas à la dinde (p. 186) sont parfaites pour les déjeuners d'automne avec leur sauce aux airelles mais, en été, il suffit de remplacer les airelles par des tomates cerises et le tour est joué !

Voici quelques-unes de mes astuces culinaires pour alléger vos repas et vos boissons sans faire de compromis sur le goût pour autant :

* Évitez de trop saler vos plats et faites plutôt la part belle aux herbes aromatiques

comme le persil, le romarin, la sauge, le basilic, la menthe, l'aneth, la ciboulette, la coriandre, la marjolaine, et bien d'autres encore ! Faites des expériences pour déterminer les associations qui fonctionnent bien comme persil/basilic ou menthe/origan et lâchez-vous !

✳ Tirez un trait sur les sodas et aromatisez votre eau avec des fruits ou légumes frais : citron (jaune ou vert), orange, gingembre, concombre, fraise, etc.

✳ Levez le pied sur les matières grasses d'origine animale comme le beurre, le fromage, la crème fraîche et le lait entier. Préférez-leur l'huile de coco, d'olive, les fruits à coque et l'avocat.

✳ Sortez des sentiers battus et n'hésitez pas à tester les fruits et légumes que vous ne connaissez pas ! Amusez-vous à créer de nouvelles associations de saveurs en mariant des produits qui vous sont peu familiers avec les grands classiques de vos placards.

Une journée dans mon assiette

Voici un aperçu de ce que je peux, par exemple, consommer au cours d'une journée. Ces quelques recettes font partie de mes incontournables mais vous en trouverez bien sûr d'autres dans les chapitres consacrés à chaque saison.

PETIT DÉJEUNER

Smoothie spécial métabolisme

INGRÉDIENTS

- 2 poignées de kale haché
- 1 banane, coupée en rondelles et préalablement placée au congélateur
- 2 poignées de glace pilée
- Le jus de 1 citron
- 125 g de yaourt à la grecque allégé en matières grasses
- 120 ml de lait d'amande sans sucre ajouté
- 1 belle pincée de piment de Cayenne

RECETTE

Versez tous les ingrédients dans un blender et mixez jusqu'à obtenir une texture homogène. Versez dans un grand verre et dégustez.

POUR 1 SMOOTHIE

COLLATION

1 petite poignée de bâtonnets de carotte • 2 cuil. à soupe de beurre de cacahuètes bio sans sucre ajouté

Tacos fraîcheur

INGRÉDIENTS

- 115 g de viande de dinde hachée
- ½ poivron, épépiné et émincé
- ½ oignon, haché
- 5 feuilles de laitue bien croquantes
- 1 citron vert, coupé en deux
- Pico de gallo ou sauce salsa

RECETTE

Dans une petite sauteuse antiadhésive, faites revenir la viande de dinde, le poivron et l'oignon pendant environ 5 minutes (cuisson à cœur). Avec les feuilles de laitue, formez des tacos et garnissez avec le mélange dinde/légumes. Arrosez d'un filet de jus de citron vert et nappez d'une cuillerée de sauce salsa (ou de pico de gallo).

POUR 5 PORTIONS

COLLATION

125 g de yaourt à la grecque à 0 % • 2 fraises, équeutées et coupées en lamelles • 1 cuil. à soupe de graines de tournesol (crues)

DÎNER

Assiette saumon-quinoa

INGRÉDIENTS

- 100 g de quinoa ou de riz complet cuit
- 4 poignées de haricots verts ou de pointes d'asperges vapeur
- 1 filet de saumon (115 g), cuit
- Sauce Sriracha ou autre sauce piquante (facultatif)

RECETTE

Dans une assiette creuse, dressez une couche de quinoa ou de riz, une couche de légumes, puis déposez le filet de saumon sur le dessus. Arrosez (ou non) de sauce piquante et servez.

POUR 1 PORTION

UNE PEAU, DES CHEVEUX ET DES ONGLES EN PLEINE SANTÉ !

C'est bien connu, la beauté vient de l'intérieur et, pour l'entretenir, il suffit de prêter attention à son alimentation, d'où l'importance de manger sain et équilibré. Certains aliments ont en effet des propriétés nutritionnelles telles qu'en plus de vous apporter de l'énergie et de vous aider à rester en bonne santé, ils agissent également sur votre beauté extérieure et notamment sur vos ongles, vos cheveux et votre teint.

Tout d'abord, n'oubliez jamais que le meilleur moyen de garder une peau ferme et élastique est d'adopter une alimentation saine. Les nutriments sont essentiels au bon fonctionnement de votre corps : ils lui permettent de s'épanouir, de rayonner de l'intérieur, de lutter contre la maladie et les signes du temps. Ainsi, *via* l'alimentation, vous pouvez combattre l'acné, les rougeurs, les inflammations, la peau sèche et ralentir le vieillissement cutané. La peau, les ongles et les cheveux font partie de notre système tégumentaire, c'est-à-dire qu'ils protègent notre corps contre les agressions extérieures (chocs, abrasions...) mais aussi contre une perte d'eau excessive ; c'est pourquoi il est important d'en prendre soin.

Pour ce faire, vous trouverez ci-dessous la liste des nutriments à privilégier pour arborer des ongles forts, des cheveux brillants et une peau de pêche. N'attendez plus pour les intégrer à votre alimentation : votre beauté n'en sera que renforcée.

La vitamine A/bêtacarotène favorise l'élimination des peaux mortes et stimule la régénération de l'épiderme, tout en renforçant les ongles. Elle prévient également la sécheresse cutanée, l'apparition de squames et de pellicules.

* Sources principales : abricot, asperge, brocoli, melon, carotte, œuf, endive et frisée crues, kale, laitue, foie, lait, feuilles de moutarde, potiron, épinard, courges, patate douce, tomate, pastèque.

La vitamine B regroupe huit vitamines différentes ; elles protègent votre peau des agressions liées à l'environnement et stimulent la pousse des ongles.

* Sources principales : bœuf, fromages à pâte persillée, palourde, produits laitiers, œuf, poisson, lait. Les aliments d'origine végétale ont généralement une faible teneur en vitamine B.

La vitamine C aide à garder une peau jeune, des cheveux sains et des ongles forts.

* Sources principales : myrtille, kiwi, citron, pamplemousse, orange, tomate, fraise, poivron, grenade, brocoli, chou de Bruxelles.

La vitamine D est excellente pour les cheveux et les ongles.

* Sources principales : huiles de poisson, thon, saumon, lumière du soleil.

La vitamine E limite les dommages causés sur la peau par les UV et les radicaux libres.

* Sources principales : amande, asperge, avocat, noix d'Amazonie, brocoli, maïs, noisette, huiles d'oléagineux (noix, noisettes, etc.), graines, germe de blé.

Le calcium contribue à renforcer les ongles et stimule la pousse des cheveux.

* Sources principales : amande, noix d'Amazonie, brocoli, caviar, fromage, cottage cheese, algues, lait, saumon, fanes de navet, yaourt.

Les acides gras oméga-3 luttent contre le vieillissement cutané, hydratent la peau et le cuir chevelu.

* ✳ Sources principales : saumon, noix, avocat, chou-fleur.

Les antioxydants stimulent la pousse des cheveux et ralentissent leur chute, estompent les taches brunes, protègent la peau des rayons du soleil.

* ✳ Sources principales : thé vert, chocolat noir, café noir, fruits rouges.

Le zinc et le fer freinent la chute des cheveux, préviennent les desquamations de la peau et du cuir chevelu. Ils apportent également aux ongles les protéines et le fer dont ils ont besoin pour rester forts et en bonne santé.

* ✳ Sources principales : œuf, viandes maigres, yaourt, légumineuses.

POURQUOI LES FEMMES ONT-ELLES UN FAIBLE POUR LE SUCRE ?

Soyons honnêtes, les femmes ont tendance à avoir le bec sucré. J'en connais d'ailleurs certaines qui terminent systématiquement leurs repas sur une note gourmande, sans quoi elles ont des envies de sucre toute la journée ! Certes, l'omniprésence des produits sucrés ne nous aide pas beaucoup et, face à une telle débauche de sucre, il est parfois difficile de résister : viennoiserie du matin, chocolat avec le café, bonbons et biscuits à quatre heures, crème glacée devant la télé, en une seule journée, les occasions de manger sucré sont nombreuses !

En médecine traditionnelle chinoise, on considère que les envies de sucre proviennent d'un déséquilibre du qi de la rate. Le qi est l'énergie vitale qui permet à nos organes de travailler ensemble, en harmonie, et la rate est, entre autres, responsable de la digestion, du métabolisme et de la production d'énergie. Ainsi, les gens qui présentent des déficiences énergétiques au niveau de la rate ont souvent des fringales sucrées, tout comme ceux qui présentent un déséquilibre du foie recherchent des aliments acides. Or, la rate sert aussi à fabriquer le sang et, par extension, est donc fortement sollicitée pendant le cycle menstruel, ce qui explique pourquoi les femmes seraient plus sujettes aux déséquilibres que les hommes.

Des solutions existent cependant pour maîtriser vos envies de sucre : pour commencer, remplacez tous les édulcorants artificiels (aspartame, sucralose, etc.) et sucres raffinés (sucre blanc, brun, cassonade) de votre alimentation par des sucres d'origine naturelle comme les fruits, le sirop d'agave, le sirop d'érable 100 % pur ou la mélasse. Continuez doucement mais sûrement en diminuant progressivement votre apport de sucre quotidien : à la boulangerie, choisissez un pain au lait plutôt qu'un maxi-cookie-trois-chocolats et réservez cette gourmandise au dimanche matin. Ce sera votre petit-déj' Carpe diem (*p. 16*).

N'oubliez pas que, d'un point de vue strictement physiologique, votre corps n'a pas besoin de friandises, alors ne laissez pas vos fringales vous mener par le bout du nez. Concentrez-vous sur ce dont votre corps a besoin et faites preuve d'ingéniosité pour contrecarrer vos envies de sucre : vous êtes plus maligne qu'elles !

Quelle quantité d'eau faut-il boire ?

Pourquoi est-il si important de boire en quantité suffisante ? Tout d'abord, l'eau est source de vie : sans elle, nos organes internes ne peuvent tout simplement pas fonctionner au maximum de leur capacité. N'oublions pas également que notre corps est composé à 60 % d'eau. C'est cette dernière qui permet à nos organes d'éliminer les toxines, qui assure l'acheminement des nutriments vers nos cellules et l'hydratation de nos muqueuses (oreilles, nez, gorge, etc.).

Or, tout au long de la journée, notre corps subit une importante déperdition d'eau, notamment à travers les processus de sudation et de respiration. Il est donc capital de compenser cette perte en buvant beaucoup d'eau pour faire en sorte que notre organisme reste bien hydraté toute la journée.

LES RÈGLES DE BASE

- Buvez 2 litres d'eau minimum par jour.
  - » Comme vous allez également faire de l'exercice, buvez 250 ml d'eau supplémentaire pour compenser celle que vous allez perdre en transpirant.
  - » Commencez et terminez chacune de vos journées en buvant un grand verre d'eau (250 ml).
  - » Quand vous ouvrez les yeux le matin, votre corps vient de passer 8 heures (si vous avez suffisamment dormi) sans aucun apport d'eau – et ça se sent ! Réveillez vos organes dès le saut du lit en les rafraîchissant avec un grand verre d'eau.
  - » Le soir, buvez un dernier verre d'eau (250 ml) avant d'aller vous coucher pour préparer votre corps au sommeil.
- Gardez toujours une bouteille de 1 litre d'eau avec vous : vous pourrez ainsi suivre votre consommation quotidienne plus facilement (et on n'oublie pas de remplir sa bouteille dès qu'elle est vide !).
- Aromatisez votre eau : ajoutez des arômes naturels pour vous faire plaisir en même temps que vous vous hydratez. Essayez des rondelles de concombre, de citron, de gingembre, de citron vert, des morceaux de fraises.
  - » Remplacez sans délai vos sodas par de l'eau aromatisée. J'ai dit SANS DÉLAI !
  - » Le citron chasse les toxines de votre corps, nettoie l'organisme, favorise la digestion et, de par sa teneur en vitamine C et en antioxydants, il vous aide également à garder une peau jeune et pleine de vitalité ; qu'attendez-vous pour le glisser dans vos bouteilles ?

Croyez-moi : buvez vos 2 litres d'eau par jour et vos organes, votre peau, vos cheveux, vos ongles et votre niveau général d'énergie vous en remercieront !

Entretenir
sa motivation
pour entretenir
son corps

RETROUVER LA FORME EST UNE ÉPREUVE DE FOND

Une bonne condition physique ne s'acquiert pas en claquant les doigts. Une vraie remise en forme requiert du temps, de la patience, de l'humilité, des efforts, de la motivation, de l'investissement personnel, de la persévérance, du soutien – la liste est aussi longue qu'un marathon mais comme pour toute épreuve de fond, on lace ses baskets, on se repasse mentalement les étapes à franchir et on se lance !

Tout au long de votre parcours, ouvrez-vous aux expériences qui se présentent à vous et, surtout, apprenez à en tirer des leçons. Le premier jour, par exemple, vous aurez certainement du mal à effectuer certains exercices comme les squats sur une jambe, mais ne vous découragez pas pour autant ! Avec le bon état d'esprit, un peu de temps et d'entraînement, vous viendrez à bout de tous les exercices, même les plus difficiles !

Choisir d'adopter un mode de vie sain résulte d'une prise de conscience mais, malgré la volonté, les premiers temps peuvent s'avérer ardus. Il s'agit d'abandonner ses mauvaises habitudes pour en prendre de nouvelles, plus saines, et de soumettre son corps à un entraînement sportif régulier pour gagner en puissance, en énergie et pour améliorer sa condition physique. À force de les répéter, ces nouvelles habitudes deviendront naturelles, mais ce procédé demande effectivement du temps, des efforts et de la réflexion. N'espérez pas voir des résultats apparaître du jour au lendemain, comme par enchantement : vous savez que c'est impossible ; c'est valable pour tous les aspects de la vie, mais en particulier pour tout ce qui touche à la santé et à la forme physique !

Même si la course de fond qu'est la remise en forme ne s'arrête jamais vraiment, vous verrez que tous les changements positifs que vous vous imposerez au départ s'inscriront rapidement dans votre quotidien, au point qu'ils ne seront bientôt plus vécus comme des efforts. Vous vous sentirez plus forte physiquement, mais aussi mentalement. C'est ce parcours avec ses obstacles, ses défis et ses victoires qui vous guide vers vos objectifs et qui fait de vous la personne que vous avez toujours voulu devenir. N'ayez pas peur de l'effort, nourrissez-vous de vos erreurs et entraînez-vous à mort plutôt que de pleurer sur votre sort !

COMMENT FAIRE DE VOS RÊVES UNE RÉALITÉ

Nous sommes bien sûr nombreux à vouloir réaliser nos rêves et « réussir notre vie », mais savez-vous ce qui différencie les gens qui réussissent des autres ? Ils ne se contentent pas de dire qu'ils aimeraient se lancer dans tel ou tel projet, ils le FONT. Bien sûr, c'est effrayant, mais si vous croyez en vous et votre potentiel, les risques sont finalement quasi inexistants.

Pourquoi ? Parce que votre confiance en vous est votre meilleur atout. D'ailleurs, si vous ne croyez pas en vous, personne ne le fera à votre place.

Et puis, si toutefois vous faites chou blanc, vous êtes tout de même gagnante puisque vous apprendrez de vos erreurs et serez ainsi mieux armée pour partir à la reconquête de votre objectif. Une fois votre but atteint, personne ne se rappellera le nombre d'échecs que vous aurez essuyés avant d'en arriver là. Seule la réussite finale compte.

Alors pour être sûre d'arriver à vos fins, voici quelques règles de base à respecter :

* N'écoutez pas les esprits étriqués qui cherchent à vous décourager dans la réalisation de vos projets.
* Tenez-vous à distance des personnes qui vous tirent vers le bas. Vous n'en serez que plus forte et plus heureuse.
* Ne doutez jamais de vous. Faites-vous confiance et soyez intimement convaincue de votre réussite future.
* N'attendez pas. Passez à l'action. Travaillez dur ; et soyez reconnaissante.
* Savourez les victoires à leur juste valeur.

DÉFINIR SES OBJECTIFS

Un objectif n'est pas seulement ce vers quoi vous devez tendre mais aussi ce qui vous guidera tout au long du chemin. Vous fixer des objectifs précis vous aidera à ne pas faire d'écart et à obtenir les résultats que vous cherchez. Quel que soit votre objectif – étoffer vos connaissances, explorer vos talents, renforcer vos faiblesses, retrouver un corps dans lequel vous vous sentez bien, boire plus d'eau, essayer un nouvel ingrédient en cuisine… –, donnez-vous toujours les moyens de l'atteindre.

Voici quelques conseils pour faire de n'importe quel rêve une réalité :

* Choisissez toujours un objectif réalisable, un projet tangible qui vous donne envie de vous investir : concrètement, on oublie les fantasmes du type « Je veux devenir le maître du monde » et on se concentre sur quelque chose de plus réaliste comme « Je veux devenir maître de mon corps pour pouvoir entrer dans ce jean que j'adore ! »
* Consignez votre objectif par écrit et placez le post-it en question bien en vue pour que, chaque matin, il vous lance : « Salut, c'est moi, ton objectif ! Courage pour ta journée et ne m'oublie pas ! »

* Exposez votre objectif à votre famille et vos amis. Ils pourront ainsi mieux vous soutenir et vous encourager en cas de besoin.
* Donnez-vous une date butoir !
* Décomposez votre objectif en plusieurs étapes ou en microprojets. À chaque fois que vous franchissez une étape, passez simplement à la suivante. Exemple : « Je veux perdre 3 kg pour entrer dans ce jean ».

1ère étape : troquer les boissons gazeuses pour de l'eau aromatisée au citron ou au citron vert.

2e étape : suivre le programme *Un corps de rêve toute l'année.*

3e étape : manger équilibré !

4e étape : filer acheter ce magnifique jean !

5e étape : définir son prochain objectif.

* Si des obstacles se dressent sur votre route, prenez une grande inspiration et trouvez une solution pour les contourner. Ne baissez pas les bras ! Tournez-vous vers votre comité de soutien (vous savez, les amis et les membres de votre famille à qui vous avez confié votre projet) et refaites le plein d'énergie positive auprès d'eux avant de repartir de plus belle vers votre objectif !
* Évitez de vous mettre la pression. Un objectif ne doit pas être source de stress. Si c'est le cas, réévaluez votre progression et reprenez confiance en avançant vers votre objectif étape par étape.

VOTRE POTENTIEL N'A PAS DE LIMITE !

Perte de poids ou gain de muscle ?

Dans la grande course de fond qu'est la remise en forme, nous avons tous des objectifs différents mais, pour la plupart des femmes, le but premier reste de perdre du poids.

Rappelez-vous cependant que le chiffre qu'indique la balance ne fait pas tout : s'il est bien naturel de vouloir brûler les graisses accumulées dans nos tissus, il est également essentiel de « construire » du muscle. « Oui mais, si je fais ça, ne vais-je pas finir par ressembler à une armoire à glace ? » vous demandez-vous certainement ; et la réponse est non. Contrairement aux hommes, les femmes ne sont pas physiologiquement constituées pour développer une masse musculaire volumineuse, et même si c'était le cas, il faudrait se gaver de protéines et soulever de la fonte matin, midi et soir pour arriver à ce résultat.

Si j'insiste cependant sur l'importance de la construction de muscle sec, c'est parce qu'elle permet d'accélérer le métabolisme, et donc de brûler plus de calories tout au long de la journée et même au repos. Les exercices au poids de corps comme ceux que vous trouverez dans vos séances de POP Pilates sont des alliés de choix pour atteindre cet objectif.

De plus, avec une alimentation équilibrée, vos muscles seront mieux dessinés et leur galbe plus apparent. N'oubliez pas que l'alimentation a une influence considérable sur votre physique puisqu'elle détermine à 80 % la forme que prend votre silhouette.

Enfin, n'oubliez pas de vous amuser ! Plus vous prendrez plaisir à faire vos exercices et à cuisiner équilibré, plus vous vous sentirez détendue vis-à-vis de votre corps ; et celui-ci vous le rendra bien en répondant positivement aux changements que vous lui imposez.

Comment se sculpter un corps de rêve

LES GRANDS PRINCIPES DU POP PILATES

Avant d'entrer dans le vif du sujet et d'aborder les différents aspects techniques, sachez que la règle n° 1 du POP Pilates consiste, dès lors qu'on a les pieds sur son tapis de yoga, à se donner à fond. Si vous mettez toute votre volonté et votre cœur dans chaque exercice, alors vous pratiquerez le POP Pilates tel que je le conçois.

La différence avec la méthode Pilates traditionnelle réside dans le caractère ludique et dynamique du POP Pilates. Chaque séance a en effet été pensée pour vous redonner la pêche, mais aussi la banane ! Après vos entraînements, vous vous sentirez pleine d'entrain, de joie de vivre et toute cette énergie positive vous fera rayonner de bonheur ; rien ne pourra vous arrêter ! C'est là toute la magie du sport !

LES CINQ RÈGLES DE BASE DU POP PILATES

1. Gardez la sangle abdominale serrée en permanence (centrage) ! Concentrez-y toute votre énergie et laissez-la en émaner. Aspirez votre nombril vers la colonne vertébrale, en rentrant le ventre et en contractant les abdos vers le haut, comme si vous portiez un corset.

2. Soyez gracieuse comme une danseuse ! Dégagez les épaules en les éloignant au maximum des oreilles et allongez votre cou vers le haut tout en le gardant souple et détendu. Votre énergie doit émaner de votre sangle abdominale et traverser votre corps jusqu'à la pointe de vos doigts et de vos orteils. À chaque fois qu'un exercice exige que vous tendiez les bras ou les jambes, imaginez que vous étirez tout votre corps pour le rendre plus long et plus fin.

3. Respirez ! Expirez en effectuant la partie difficile de l'exercice et inspirez en revenant en position initiale ou en position de repos.

4. Prenez conscience de votre corps ! Créez une connexion consciente entre votre corps et votre esprit en vous concentrant sur le muscle que vous êtes en train de travailler.

Visualisez la raison pour laquelle vous lui imposez cet effort. Cet exercice de discipline mentale ne vous aidera pas seulement à contrôler vos mouvements, il vous permettra également de mieux comprendre les exercices et donc d'en retirer plus de plaisir.

5. Croyez en vous ! Vous êtes plus forte que vous le pensez et vous pouvez repousser vos limites pour obtenir tout ce que vous voulez. Ayez une confiance totale en vos capacités et vous arriverez toujours à vos fins.

Si vous n'avez jamais fait de Pilates, vous aurez peut-être une sensation de lourdeur dans la nuque au départ, induite notamment par la contraction des abdominaux et le décollement des épaules requis pour exécuter la Position de base. Avec le temps, cette sensation disparaîtra. Tant que votre sangle abdominale n'est pas correctement musclée, je vous conseille cependant de glisser une (ou deux) serviettes de bain, un petit coussin ou une brique de yoga sous votre tête pour éviter toute tension.

Les lombaires peuvent elles aussi être à l'origine d'un certain inconfort : lors des exercices qui sollicitent la partie inférieure du corps comme le Relevé de jambes (*p. 49*), par exemple, le dos a en effet tendance à se cambrer si la sangle abdominale manque de tonicité. En attendant de la renforcer, je vous conseille donc de placer les deux mains sous le coccyx ou de rouler une serviette de bain et de la positionner dans le creux des reins pour vous soulager.

Ça y est, vous avez toutes les clés pour pratiquer le POP Pilates dans les règles de l'art ! Le principe est simple : utiliser le poids du corps pour dessiner les muscles, améliorer la posture, travailler la souplesse avec des mouvements qui peuvent se pratiquer n'importe où. Plus besoin d'aller systématiquement à la salle de sport.

Vous allez tout déchirer, j'en suis persuadée !

DE L'IMPORTANCE DE LA SANGLE ABDOMINALE

La sangle abdominale n'est autre que le centre de notre corps. C'est le pilier central qui détermine notre façon de nous mouvoir et qui assure la connexion entre le haut et le bas du corps. C'est lui qui donne aux danseuses étoile ce port de reine ou, tout simplement, qui nous aide à sortir du lit chaque matin ! C'est pourquoi il est capital de le renforcer afin de fournir à notre corps une structure solide pour effectuer ses activités quotidiennes et supporter sans peine les efforts physiques que nous lui imposons. En tonifiant votre sangle abdominale et en apprenant à l'utiliser à bon escient, vous améliorerez votre équilibre, votre stabilité et votre posture, si bien que, quand vous entrerez dans une pièce, tout le monde se redressera inconsciemment pour vous emboîter le pas.

Mais alors quand est-ce que votre sangle abdominale travaille ? Eh bien... tout le temps ! Quand vous ramassez les vêtements de sport que vous aviez laissés traîner au sol, quand vous faites la vaisselle, quand vous marchez en talons aiguilles et que, après une longue soirée, vous vous penchez en avant sans perdre l'équilibre pour les retirer : elle est constamment mise à contribution !

Voici quelques exemples de situations du quotidien où la sangle abdominale est sollicitée.

QUAND VOUS AVEZ LE TRAC.

Quand vous sentez votre estomac se nouer avant un rendez-vous amoureux, transformez cette énergie en énergie positive et laissez-la se répandre dans votre sangle abdominale ; le simple fait d'engager celle-ci vous obligera à vous tenir plus droite et vous fera paraître plus sûre de vous.

QUAND VOUS VOUS TENEZ DEBOUT.
Outre vos jambes, votre corps a besoin de la sangle abdominale pour tenir en position debout. Sans sangle abdominale, vous vous effondreriez lamentablement au coin de la rue, en attendant que le feu piéton passe au vert !

QUAND VOUS FAITES DU SPORT.
Avec une sangle abdominale bien musclée, vous gagnerez automatiquement en stabilité et en agilité. Vous arborerez une silhouette divine et vous développerez votre souplesse, ce qui rendra vos mouvements plus fluides, précis et contrôlés. Vous sentirez la différence quand vous ferez le Pont avec une jambe levée (p. 57) ou le Derrick (p. 118) !

Alors tout le monde à plat ventre et faites-moi une minute de gainage en Planche ! Et si ça brûle, c'est bon signe : à vous la grâce, l'élégance et les gestes parfaitement maîtrisés.

PLUS DE SPORT, MOINS DE STRESS

Après vous être donnée à fond pendant 30 minutes d'affilée, une flaque de sueur s'est formée à vos pieds, vous avez les jambes qui flageolent comme si la Terre était en train de trembler et le joli petit chignon qui trônait fièrement sur le sommet de votre crâne pendouille désormais lamentablement sur le côté, perdu au milieu de votre chevelure ébouriffée. D'accord, on vous a connue plus glamour.

Et pourtant, une fois votre rythme cardiaque revenu à la normale (et vos cheveux remis en ordre), vous sentez votre corps et votre esprit envahis d'une sensation exquise de légèreté qui vous donne l'impression de flotter – ah, cet état d'euphorie qui nous étreint après l'effort !

Le sport, comme vous l'avez sûrement déjà remarqué, contribue à réduire le stress et génère une sensation de bien-être. Il diminue l'anxiété, redonne de l'allant et de l'assurance. Pour certains, une pomme par jour éloigne le médecin pour toujours. Pour moi, c'est le Burpee (p. 77) qui fait ça.

Dans une étude menée sur un groupe de femmes soumises à une série d'efforts, les chercheurs ont démontré que l'activité physique influait positivement sur le comportement et l'humeur, et qu'elle accroissait l'estime de soi. Que demander de plus ?

En effet, quand vous faites du sport, votre corps libère des endorphines, des hormones qui font tomber toutes les barrières de votre cerveau pour venir lui faire un gros câlin réconfortant. Véritables analgésiques naturels, les endorphines agissent contre la douleur, qu'elle soit physique ou morale. Leur composition chimique s'apparente à celle des opiacés, des substances médicamenteuses qui soulagent la douleur et jouent sur l'humeur au point de générer une forme d'euphorie. Et c'est précisément cet état extatique que certains appellent « l'ivresse du coureur » qui gagne les sportifs après l'effort.

Alors plus une seconde à perdre, les filles, enfilez vos baskets et stimulez-moi ces endorphines !

CHAPITRE 2
LES
SAIS

PRINTEMPS

Le printemps

S'épanouir, se vivifier, repartir sur des bases saines

Aaaah… prenez une grande bouffée d'air pur et appréciez-la à sa juste valeur après ces longs mois d'hiver. Tout autour de vous s'éveille à la vie, sort de sa torpeur hivernale : les fleurs s'ouvrent, les chenilles se métamorphosent en papillons… N'est-ce pas le moment idéal pour s'inspirer de la nature et transformer son corps ?

Le printemps correspond aussi à l'arrivée des couleurs : la grisaille hivernale s'éloigne, la neige fond et le soleil se fait plus chaud, donnant ainsi le signal aux végétaux de pousser et de s'épanouir en vue d'une récolte prochaine. En cette saison, soyez particulièrement à l'écoute de votre corps, sentez son attirance naturelle pour toutes ces couleurs et saveurs : il sait ce dont il a besoin, surtout en matière de nourriture !

La période des fêtes étant révolue, les tentations (truffes, bûche, marrons glacés…) sont désormais moins nombreuses et c'est donc le meilleur moment pour reprendre sérieusement les choses en main. Apprenez à faire la différence entre les envies de votre corps – comme les sucreries ou les frites – et ses besoins, comme ce superbe panier de fruits rouges de saison !

Pour ma part, je suis intimement convaincue que suivre le rythme de la nature est toujours la meilleure solution, quel que soit ce que l'on cherche à accomplir. Ne pas respecter ce rythme revient en quelque sorte à essayer de remonter une rivière à la nage plutôt que de se laisser porter par le courant : c'est beaucoup plus compliqué !

Allez, maintenant dites-moi quel est votre but. Il peut être d'ordre physique, mental, spirituel, peu importe ! L'important est que vous vous engagiez à l'atteindre. Promettez-vous aujourd'hui que vous allez profiter du printemps pour vous donner véritablement les moyens de transformer votre corps et votre état d'esprit, et pour devenir la version la plus forte et la plus heureuse de vous-même.

MES EXERCICES DE PRINTEMPS

Le printemps est la saison idéale pour se vivifier, se régénérer, tout comme le fait la terre tous les ans à cette période. Laissez votre corps absorber la chaleur du soleil et vos muscles jouer avec ses rayons. Égayez votre habitat en y parsemant des bouquets de fleurs fraîchement coupées : tous les matins au réveil, vos sens seront ainsi stimulés par la beauté simple et le parfum subtil de la nature.

SÉANCE D'ENTRAÎNEMENT N° 1 : UNE SANGLE ABDOMINALE TONIQUE

Cette séance sollicitera votre sangle abdominale et vous permettra de remuscler vos abdos en un rien de temps. Commencez par l'exercice du Génie pour vous échauffer et pour activer progressivement vos muscles. Cette séance vous obligera peut-être à puiser dans vos ressources, mais votre sangle abdominale me remerciera !

LE GÉNIE × 15
RENFORCE : LE BAS DES ABDOMINAUX

A Allongez-vous sur le dos, le dos et la tête bien relâchés. Croisez les bras à la manière d'un génie (les mains à plat sur les coudes) et les jambes comme dans la posture de l'Aigle (c'est-à-dire croisées au niveau des genoux et des chevilles). Si vous débutez, croisez seulement les genoux en attendant de gagner en souplesse.

B Contractez les abdominaux et levez les genoux jusqu'à ce qu'ils viennent toucher vos avant-bras, tout en gardant la tête au sol.

LE DOUBLE CRUNCH
DE L'AIGLE × 15
RENFORCE : LES ABDOMINAUX

A Allongez-vous sur le dos, les bras et les jambes en posture de l'Aigle (coudes croisés, mains jointes, genoux et chevilles croisés).

B Effectuez un double crunch : décollez le haut du dos et ramenez vos coudes vers les genoux en soulevant le coccyx.

LE RELEVÉ DE JAMBES × 15
RENFORCE : LE BAS DES ABDOMINAUX

A Croisez les mains derrière la tête, coudes écartés. Collez le bas du dos
au tapis et levez les jambes à la verticale en décollant légèrement la tête.
Gardez les jambes tendues, les talons serrés l'un contre l'autre et les orteils
tendus vers le ciel et dirigés légèrement vers l'extérieur. Si vous débutez,
vous pouvez plier les genoux.

B Contractez les abdominaux et descendez vos jambes aussi bas que
possible tout en gardant les lombaires collées au tapis. Remontez
lentement les jambes pour revenir en position initiale.

LA BALLERINE × 10 DE CHAQUE CÔTÉ
RENFORCE : LES ÉPAULES, LES OBLIQUES

A Placez-vous en Planche latérale en positionnant votre bras d'appui dans le prolongement direct de l'épaule et l'autre tendu vers le ciel. Croisez les jambes en plaçant la cheville du dessus devant celle du dessous.

B Effectuez une rotation en ramenant le bras du haut sur les obliques et en poussant votre coccyx vers le ciel. Revenez en position initiale.

LE CRUNCH DE LA POM-POM GIRL × 10
POUR CHAQUE JAMBE
RENFORCE : LE HAUT ET LE BAS DES ABDOMINAUX

A Allongez-vous sur le dos en Position de base, le bassin collé au tapis. Gardez les jambes tendues, les orteils pointés vers l'avant, une jambe parallèle au sol et l'autre tendue vers le ciel. Placez les mains derrière la tête, ouvrez les coudes et effectuez un relevé de buste.

LA PELLETEUSE × 15
RENFORCE : LE BAS DES ABDOMINAUX

A Allongez-vous sur le dos en Position de base (épaules décollées, regard à l'horizontale et bassin plaqué au sol). Placez vos genoux en position de Chaise renversée avec les tibias parallèles au sol. Pointez vos orteils vers l'avant, abaissez-les jusqu'au tapis, puis tendez les jambes vers l'avant. Ramenez ensuite les orteils vers les fesses, puis vers l'avant pour revenir en Chaise renversée.

Un petit coup de mou ?

On continue ! Tenez encore 10 secondes au-delà de ce que vous pensiez être votre maximum ou ajoutez une répétition. Vous êtes plus forte que vous ne le pensez !

SÉANCE D'ENTRAÎNEMENT N° 2 : OBJECTIF MINISHORT

Avec cette séance spécialement conçue pour vous sculpter des fesses en béton armé, vous allez pouvoir ressortir tous vos minishorts du placard ! Les exercices qui vous sont proposés ici s'attaquent à toute la zone comprise entre vos cuisses et votre sangle abdominale – rien de tel pour regalber son postérieur et se sentir belle et sûre de soi en minishort !

L'ARC-EN-CIEL × 10 POUR CHAQUE JAMBE
RENFORCE : LES FESSIERS

A Placez-vous en posture du Chien tête en bas, c'est-à-dire paumes enfoncées dans le sol, talons vers le bas et postérieur pointé vers le ciel. Aplatissez le haut du dos de manière à ce que vos poignets, votre tête et votre dos forment une ligne droite jusqu'à vos hanches. Levez la jambe droite vers le ciel, en essayant de garder les hanches bien alignées avec le haut du corps. Si vous débutez, vous pouvez commencer cet exercice par la posture de la table, c'est-à-dire en vous mettant à quatre pattes, les paumes alignées sous les épaules, les genoux écartés à la largeur des hanches et le dos plat.

B Avec le gros orteil de votre pied droit, venez toucher le bord extérieur droit de votre tapis, puis relevez à nouveau la jambe en dessinant un bel arc de cercle pour venir toucher le bord extérieur gauche du tapis.

LA PLANCHE AVEC RELEVÉ DE JAMBE
× 12 POUR CHAQUE JAMBE
RENFORCE : LA SANGLE ABDOMINALE,
LES FESSIERS

A Placez-vous en appui sur vos paumes et vos orteils en position de Planche. Contractez les abdominaux et engagez le bassin. Si vous débutez, prenez plutôt appui sur les coudes, ou restez sur les paumes mais passez sur les genoux en les écartant à la largeur des hanches et en gardant le dos bien droit.

B Levez la jambe gauche en contractant les fessiers, et effectuez de petits mouvements de bas en haut.

LES MINICERCLES × 20 VERS L'AVANT ET 20 VERS L'ARRIÈRE POUR CHAQUE JAMBE
RENFORCE : L'INTÉRIEUR ET L'EXTÉRIEUR DES CUISSES, LES FESSIERS

A Placez-vous en appui sur votre paume et votre genou gauches et pivotez le tronc vers la droite en posant votre main droite sur vos hanches. Si vous débutez, vous pouvez vous allonger sur le flanc en plaçant la main gauche sous votre tête et la droite devant vous pour vous aider à trouver l'équilibre.

B Levez la jambe droite jusqu'à ce qu'elle soit parallèle au sol et dessinez des minicercles vers l'avant. Les rotations s'effectuent à partir de l'articulation de la hanche et votre jambe doit rester bien horizontale !

LE TOUCHE-ORTEILS LATÉRAL × 12 DE CHAQUE CÔTÉ
RENFORCE : LA SANGLE ABDOMINALE, LES FESSIERS

A Placez-vous en appui sur votre paume et votre genou gauches et pivotez le tronc vers la droite en allongeant votre bras droit au-delà de votre tête. Levez la jambe droite à la hauteur de la hanche.

B Ramenez la jambe et le bras droits vers l'avant jusqu'à toucher vos orteils du bout des doigts. Déclenchez le mouvement en contractant les abdominaux et gardez le bras et la jambe bien tendus. Pour celles qui souhaitent passer au stade supérieur ou optimiser les résultats sur les fessiers, vous pouvez faire le même mouvement de jambe mais en mettant la main droite derrière la tête.

LE PONT AVEC UNE JAMBE LEVÉE × 15
POUR CHAQUE JAMBE
RENFORCE : LES FESSIERS

A Placez-vous en position de pont : haut du dos plaqué au sol, bras détendus le long du corps, genoux pliés et pieds bien à plat. Vos épaules, votre bassin et vos genoux doivent être dans le même alignement.

B Levez la jambe gauche de manière à ce qu'elle soit perpendiculaire au sol, les orteils pointés vers le ciel. Contractez les fessiers en poussant votre bassin vers le haut tout en gardant la jambe gauche bien droite.

Vous vous sentez ballonnée ?

Hum, voilà qui n'est jamais agréable...
Pour lutter contre les ballonnements et la rétention d'eau, pensez à bien vous hydrater tout au long de la journée pour inciter votre corps à se débarrasser du surplus de sodium et d'eau qu'il a emmagasiné. Boire beaucoup permettra également à votre organisme de mieux éliminer les toxines et à votre système digestif de rester actif, écartant ainsi les risques de constipation. Enfin, ne négligez pas vos séances d'exercices ! Le sport évite que les gaz ne restent « coincés » dans l'abdomen.

LE PONT BICYCLETTE × 15 POUR CHAQUE JAMBE
RENFORCE : LES FESSIERS

A Placez-vous en position de pont : haut du dos plaqué au sol, bras détendus le long du corps, genoux pliés et pieds bien à plat. Vos épaules, votre bassin et vos genoux doivent être dans le même alignement.

B Levez la jambe gauche de manière à ce qu'elle soit perpendiculaire au sol et fléchissez le pied (les orteils pointent vers vous). Maintenez la position tout en abaissant la jambe vers l'avant – le talon se dirige vers le sol –, puis fléchissez le genou pour rapprocher le talon des fessiers. Vous venez de donner un « coup de pédale » : il n'y a plus qu'à répéter le mouvement !

SÉANCE D'ENTRAÎNEMENT N° 3 : DES JAMBES DE GAZELLE

Avec l'arrivée du printemps, faites prendre l'air à vos gambettes ! Tonifiez vos jambes des mollets à la sangle abdominale grâce à ces exercices spécialement étudiés pour vous façonner des jambes fines et parfaitement fuselées. Inutile de se mentir, ce ne sera pas toujours une partie de plaisir mais il faut souffrir pour être belle ; et tout ça sera bien vite oublié quand vous vous sentirez sublime dans votre petite robe préférée !

L'ENVOL DE L'OISEAU × 10 POUR CHAQUE JAMBE
RENFORCE : LES QUADRICEPS, LES FESSIERS, LE BAS DU DOS

A Tenez-vous debout, bien droite, puis effectuez une fente arrière en lançant votre jambe gauche derrière vous. Vos genoux doivent tous deux former un angle droit.

B Donnez une impulsion à partir de la plante du pied gauche et faites une arabesque en étirant votre jambe gauche et vos bras vers l'arrière.

L'ATTAQUE
DU MOLLET × 10
DE CHAQUE CÔTÉ
RENFORCE :
LES MOLLETS

A Placez-vous en position accroupie, les talons décollés du sol, les mains bien à plat devant vous de manière à ce que votre buste repose sur vos genoux. Décollez le pied droit du tapis et, d'un geste, poussez la jambe droite vers l'arrière aussi haut que vous le pouvez, tout en gardant la jambe gauche tendue. Pendant tout l'exercice, le talon gauche ne doit pas toucher le sol.

B Revenez en position initiale.

LE GRAPIN × 20
RENFORCE : LES ISCHIO-JAMBIERS

A Allongez-vous à plat ventre, les mains sous le menton, le buste contre le tapis. Décollez les quadriceps du tapis, fléchissez les pieds et poussez les talons le plus loin possible derrière vous.

B Ramenez les talons contre les fessiers, puis repoussez-les loin derrière, sans reposer les quadriceps au sol. Si vous débutez, simplifiez l'exercice en gardant les quadriceps sur le tapis.

LES FENTES STATIQUES × 10
POUR CHAQUE JAMBE
RENFORCE : LES FESSIERS,
LES QUADRICEPS

A Debout, les pieds parallèles, lancez la
jambe droite devant vous et abaissez le
coccyx en gardant la jambe gauche tendue loin
derrière vous. Le poids du corps est sur la pointe
du pied gauche, le genou droit forme un angle à
90 ° et le pied droit est bien à plat. Maintenez la
tête haute, comme si on vous tirait vers le haut,
et le bassin bien droit. Si vous débutez, aidez-
vous de vos mains – que vous poserez sur le
genou droit – pour garder l'équilibre.

B Fléchissez la jambe gauche pour venir toucher
le tapis avec le genou, tout en gardant la tête
à la même hauteur ; puis revenez jambe tendue.
Si vous n'arrivez pas à toucher le tapis, baissez
simplement le genou aussi bas que possible.

LE PONT AVEC TRIANGLE × 12 DE CHAQUE CÔTÉ
RENFORCE : LES FESSIERS

A Placez-vous en position de pont, les hanches vers le ciel et le haut du dos plaqué contre le tapis. Levez la jambe droite à la verticale.

B Avec la pointe du pied droit, dessinez le plus grand triangle possible, tout en gardant les hanches immobiles.

LES CERCLES JAMBE TENDUE × 12 VERS L'AVANT ET 12 VERS L'ARRIÈRE POUR CHAQUE JAMBE

RENFORCE : L'INTÉRIEUR ET L'EXTÉRIEUR DES CUISSES

A Allongez-vous sur le côté gauche, placez la main gauche sous votre tête et la droite devant vous pour maintenir l'équilibre. Soulevez la jambe droite, puis décrivez un demi-cercle vers l'avant en inspirant.

B Expirez en refermant le cercle vers l'arrière. Le bassin doit rester immobile. Pour une efficacité maximale, agrandissez le cercle autant que possible !

SÉANCE D'ENTRAÎNEMENT N° 4 : DES BRAS FERMES EN DÉBARDEUR

Avec l'arrivée du printemps, les manches courtes reviennent en force. Pour vous aider à vous sentir sûre de vous en débardeur, cette séance d'entraînement cible spécifiquement le haut du corps. Elle vous permettra de tonifier tous les muscles de la posture (buste, triceps, biceps, épaules, dos) et d'afficher un port de reine pour attaquer les beaux jours en toute sérénité.

LES POMPES DIAMANT (UN GENOU AU SOL ET UNE JAMBE LEVÉE) × 10 SUR CHAQUE JAMBE
RENFORCE : LE BUSTE, LES TRICEPS

A Positionnez vos mains de manière à former un diamant (ou un triangle) entre vos pouces et vos index. Posez-les sur le tapis, légèrement plus en avant que vos épaules, tendez les bras et levez la jambe gauche sans cambrer le dos. Votre talon doit être à la même hauteur que vos épaules. Si vous débutez, gardez les deux genoux sur le tapis.

B Inspirez et descendez le buste aussi bas que possible ; expirez en remontant en position initiale.

LES CISEAUX CÂLINS × 12 DE CHAQUE CÔTÉ
RENFORCE : LES TRICEPS, LES PECTORAUX

A Allongez-vous sur le côté gauche et ramenez le bras droit devant vous, paume bien à plat sur le tapis. Placez la main gauche sur le côté droit de votre cage thoracique, comme pour vous faire un câlin.

B Levez la jambe droite en la gardant bien tendue et poussez sur la paume de votre main droite pour relever simultanément le buste. Revenez en position initiale et recommencez.

LES POMPES EN CHIEN TÊTE EN BAS (EN APPUI SUR UNE JAMBE) × 8 SUR CHAQUE JAMBE
RENFORCE : LES ÉPAULES, LA SANGLE ABDOMINALE

A Placez-vous en posture du Chien tête en bas, c'est-à-dire les paumes à plat, les talons vers le sol, le regard dirigé vers les orteils et le postérieur pointé vers le ciel. Levez le pied droit et ramenez votre genou le plus près possible de votre poitrine. Si vous débutez, gardez les deux pieds sur le tapis.

B Effectuez une Pompe en essayant de toucher le sol avec le sommet de votre crâne. Votre genou doit rester le plus près possible de votre poitrine.

LE ROBOT × 20
RENFORCE : LE HAUT DU DOS, LES ÉPAULES

A Mettez-vous à genoux, en tailleur ou en position de sirène (les jambes sur le côté, voir p. 71) et tenez-vous bien droite. Levez les bras de manière à ce qu'ils forment chacun un angle droit au niveau du coude. Joignez les omoplates comme si vous deviez tenir un litchi ou une châtaigne entre elles sans les faire tomber.

B Sans bouger les coudes, basculez vos avant-bras vers l'avant. Vos bras doivent toujours former un angle droit mais dirigé cette fois vers le bas.

C Dans un geste énergique, tendez simultanément les bras en donnant un coup de poing dans l'air.

LES POMPES DIAMANT (GENOUX AU SOL) × 12
RENFORCE : LES TRICEPS, LE BUSTE

A Positionnez vos mains de manière à former un diamant (ou un triangle) entre vos pouces et vos index. Posez-les sur le tapis, légèrement plus en avant que vos épaules et tendez les bras. Croisez les chevilles et mettez-vous en appui sur les genoux en positionnant ceux-ci loin derrière vos hanches.

B Inspirez et descendez le buste aussi bas que possible, puis expirez en remontant jusqu'à ce que vos bras soient à nouveau tendus. Enfoncez bien vos paumes de main dans le sol pour vous aider.

LES BALLES DE GOLF × 50 VERS L'AVANT ET 50 VERS L'ARRIÈRE
RENFORCE : LES ÉPAULES, LES BICEPS, LA FORCE MENTALE

A Asseyez-vous en tailleur ou en position de sirène (les jambes sur le côté) et écartez les bras en pliant légèrement les coudes. Levez les paumes, tournez-les vers le ciel comme si vous teniez une balle de golf dans chaque main.

B Effectuez 50 minicercles vers l'avant – en gardant les paumes bien hautes ! – puis 50 vers l'arrière. Pour celles qui sont à l'aise, répétez l'exercice en imaginant cette fois que vous tenez des ballons de volley. Gardez le même rythme tout du long et ne baissez pas les mains. Tenez bon !

vous avez des courbatures ?

Les courbatures indiquent que vous avez demandé à vos muscles un effort différent de ce qu'ils font habituellement. La sensation n'est certes pas très agréable mais c'est un bon signe ! Si certains muscles vous font vraiment trop mal, choisissez simplement des exercices qui font travailler un autre groupe musculaire. Et si vous sentez que vous avez besoin de repos (il n'y a aucun mal à ça !), prenez soin de boire beaucoup d'eau de manière à réhydrater votre organisme en profondeur. Prenez un bain chaud pour stimuler la circulation sanguine dans les zones douloureuses et pensez à faire des étirements ! Vous serez sur pied en un clin d'œil.

SÉANCE D'ENTRAÎNEMENT N° 5 : FULL BODY (BRÛLE-GRAISSES)

Affinez votre silhouette grâce à cette séance très intense qui sollicitera l'ensemble de vos muscles : obliques, abdominaux, quadriceps, sangle abdominale, etc. Donnez tout ce que vous avez sur le Burpee avec pompe et coup de pied frontal, un exercice difficile mais qui donne des résultats épatants. Ne ménagez pas vos efforts : vous vous sentirez au top de votre forme et vous vous réconcilierez enfin avec votre miroir.

LE FUGITIF × 20
RENFORCE : LA SANGLE ABDOMINALE

A Allongez-vous sur le dos et étirez vos bras au-dessus de votre tête. Contractez les abdominaux et décollez votre tête, votre nuque et vos épaules, ainsi que vos jambes. Le bas de votre dos doit en revanche rester collé au tapis.

B En gardant les jambes tendues, effectuez des battements de bas en haut. Gardez la sangle abdominale bien contractée et les bras au-dessus de la tête.

LA TORTUE SUR LE DOS × 20
RENFORCE : LES OBLIQUES

A Placez les mains sur la nuque, écartez les coudes, puis joignez vos orteils et écartez les genoux. Décollez les omoplates et regardez droit devant vous.

B En contractant les abdominaux, touchez votre genou droit avec votre coude droit, puis votre genou gauche avec votre coude gauche.

LE BATEAU AVEC EXTENSION DES DEUX JAMBES × 20
RENFORCE : LE BAS DES ABDOMINAUX, LES QUADRICEPS

A Assise sur le tapis, les pieds à plat et les genoux à hauteur du buste, joignez vos mains devant vous et alignez les coudes à hauteur des épaules. Contractez les abdominaux, décollez les pieds du tapis et cherchez le point d'équilibre sur votre coccyx. Votre dos doit rester bien droit et vos pieds et genoux joints. Si vous débutez, vous pouvez laisser les pieds au sol.

B Tendez vos jambes devant vous, les orteils pointés vers l'avant et expirez. Inspirez en ramenant les genoux vers la poitrine. Les débutantes pourront tendre une jambe après l'autre, en gardant l'autre pied sur le tapis.

LA CHARRUE SUIVIE D'UN SQUAT × 12
RENFORCE : LA SANGLE ABDOMINALE, LES FESSIERS, LES QUADRICEPS

A Allongez-vous sur le dos, les bras le long du corps, les paumes contre le tapis. Serrez vos talons l'un contre l'autre, tendez les orteils vers l'avant et contractez les abdominaux pour faire passer vos jambes par-dessus votre tête. Si vous débutez, vous pouvez placer vos mains au niveau des lombaires pour vous aider.

B Dans un mouvement fluide, ramenez vos jambes vers l'avant et poussez sur vos pieds pour passer en position de squat. Si besoin est, les débutantes pourront s'aider des mains.

LE DESTRUCTEUR DE CULOTTE DE CHEVAL
× 12 DE CHAQUE CÔTÉ

RENFORCE : LES TRICEPS, LE BUSTE, L'EXTÉRIEUR
DES CUISSES

A Asseyez-vous sur la fesse gauche et allongez le buste sur le tapis, les mains à hauteur des épaules, les coudes le long de la cage thoracique ; la jambe gauche est à plat sur le tapis, pliée, et la jambe droite s'étend vers le ciel.

B Expirez et relevez le buste en poussant sur vos bras jusqu'à ce qu'ils soient tendus. Dans le même mouvement, ramenez votre genou droit vers votre coude. Inspirez pour revenir en position initiale.

LE BURPEE (AVEC POMPE ET COUP DE PIED FRONTAL) × 15
RENFORCE : L'INTÉGRALITÉ DU CORPS, LE CARDIO

A Tenez-vous debout, bien droite au bord de votre tapis et effectuez un burpee : commencez par un saut, les bras tendus vers le ciel, descendez en position accroupie, les mains au sol de part et d'autre des genoux. Donnez une impulsion pour repousser vos pieds loin derrière vous, en position de Planche. Votre dos et vos hanches doivent être droits et bien alignés et vos mains directement sous vos épaules. Effectuez 1 Pompe, puis donnez une nouvelle impulsion pour ramener vos pieds entre vos mains. Poussez sur vos pieds et relevez-vous en sautant, les bras tendus vers le ciel.

B Avec votre jambe droite, donnez un coup de pied frontal en y mettant toute votre force. Faites de même avec la jambe gauche, puis reprenez l'exercice du début.

Le petit mot de Cassey

Vous êtes fâchée avec votre reflet ?

Quand vous vous regardez dans le miroir, vous ne pouvez pas vous empêcher de penser : « Pfff, je hais cet horrible bourrelet qui dépasse de cet horrible jean qui me boudine. Beurk ! Mes bras sont flasques, mes abdos sont inexistants, j'ai le visage tout bouffi... tout est **moche**, chez moi. Comment en suis-je arrivée là ? Je suis grasse. Je me déteste. Je hais ma **vie** ! »

Premièrement, **cessez tout de suite** de vous dévaloriser, vous n'en retirerez aucun bénéfice. Deuxièmement, arrêtez d'utiliser le mot « *grasse* » comme une insulte : la quantité de tissus adipeux que renferme – ou non – votre corps n'a rien à voir avec la personne que vous êtes. Inutile donc de vous torturer avec de telles insultes !

Croyez-moi, vous n'êtes pas la seule à avoir une vision déformée de vous-même et à ne voir que vos défauts dans la glace : moi aussi, j'ai des jours sans ! Ce n'est malheureusement pas parce qu'on est coach sportif qu'on est immunisé contre la prise de poids, les ballonnements ou la flegmatite aiguë ! C'est pourquoi, vous comme moi, nous devons arrêter de nous juger et commencer à nous aimer. Un corps malaimé sera en effet bien moins réceptif aux changements qu'on lui impose qu'un corps dont on prend soin et que l'on a appris à accepter.

De plus, il faut bien comprendre que, quels que soient nos efforts, les progrès ne sont malheureusement pas toujours visibles au jour le jour. Il peut arriver, par exemple, que vous vous entraîniez à fond et que vous ne fassiez aucun écart alimentaire pendant une semaine et que, malgré tout, votre balance annonce 2 kg supplémentaires le vendredi. Pire, ce ne sont peut-être même pas 2 kg de muscle...

Ce n'est pas juste, c'est vrai, mais c'est comme ça.

Le corps répond généralement de manière prévisible aux modifications du régime alimentaire ou à l'activité physique, mais il arrive qu'il y ait des contretemps. Bien sûr, il n'y a rien de plus frustrant que de ne pas voir ses efforts immédiatement récompensés, mais rappelez-vous que tant que vous persévérez et que vous ne perdez pas votre objectif de vue, **vous obtiendrez, à terme, les résultats attendus.**

Pour ce faire, cependant, vous devez faire preuve d'honnêteté envers vous-même. Vous ne pouvez pas manger des bonbons ou des frites en douce et vous plaindre ensuite de ne pas obtenir de résultats. Se plaindre ou se ronger les sangs ne vous mènera nulle part ; seule l'action compte.

Ainsi, si vous êtes déterminée à obtenir ce corps de rêve et à adopter un mode de vie sain, vous devez vous donner les moyens d'y arriver. Tenez un journal où vous inscrirez tout ce que vous ingérez dans la journée, planifiez vos séances de sport, soyez sérieuse dans vos entraînements et évitez les tentations en cachant des « cochonneries » dans vos placards. Donnez-vous à 110 % et créez-vous un environnement propice à la réussite.

Si vous suivez ces conseils, vous découvrirez le plaisir et la force qu'apporte le contrôle de sa ligne et de sa santé. **Vous n'êtes pas une victime. Le manque de temps et la nourriture industrielle ne sont pas responsables** de vos kilos en trop ou de votre humeur maussade. C'est vous qui décidez de ce que vous ressentez et de ce à quoi votre corps doit ressembler. Rien de tel que ce nouveau pouvoir de décision pour accroître votre confiance en vous.

Aimez votre corps à chaque étape de votre progression et il vous le rendra bien.

♡ Cassey

MES PETITS PLATS DE PRINTEMPS

Voici venu le temps des délices de printemps ! S'ils sont parfois pluvieux, les mois de mars, avril et mai ont l'avantage de nourrir la terre en profondeur, condition *sine qua non* à une bonne récolte de fruits et de légumes. Dans les pages qui suivent, vous découvrirez à travers différentes recettes comment mettre tous ces bons produits de saison en valeur. Dans mon petit bocal acidulé (*p. 83*), par exemple, le mariage mangue-avocat rappelle toute la fraîcheur du printemps. De même, avec le porridge citron-cerise (*p. 82*), des saveurs vives et fruitées viennent réveiller le quinoa ; une association parfaite pour fêter le retour du soleil ! Enfin, n'oubliez pas que pour redonner un peu de peps à toutes vos vieilles recettes, il suffit souvent de remplacer leurs ingrédients par des produits de saison.

Mon panier de saison

Légumes	Feuilles de moutarde	Fruits
Artichaut	Haricots verts	Abricot
Asperge	Laitue	Ananas
Brocoli	Laitue rouge	Citron vert
Choux	Petits pois	Fraise
Chou-fleur	Pois mange-tout	Mangue
Ciboulette	Radicchio	Orange
Cresson	(trévise)	Pamplemousse
Endive	Rhubarbe	
Épinard	Roquette	
Fenouil		

Frittata sauce piquante

INGRÉDIENTS

- ½ poivron rouge, épépiné et détaillé en fines lamelles
- ¼ d'oignon, haché
- 2 pointes d'asperges, pelées et coupées en tronçons de 0,5 cm
- 1 cuil. à café d'huile d'olive
- 4 blancs d'œufs
- 2 poignées d'épinards frais, hachés (ou de pousses d'épinard)
- 2 cuil. à café de sauce Sriracha (ou autre sauce piquante)

RECETTE

Préchauffez le four à 190 °C (th. 6-7).

Faites chauffer l'huile d'olive à feu moyen dans une poêle conçue pour passer au four. Faites-y revenir l'oignon et les lamelles de poivron environ 5 minutes. Ajoutez les asperges et laissez cuire encore pendant 3 minutes.

Pendant ce temps, battez les blancs d'œufs, les épinards et la sauce piquante en omelette.

Versez le mélange dans la poêle et remuez pour bien répartir les légumes dans l'omelette. Laissez cuire jusqu'à ce que l'omelette soit prise sur les bords mais encore baveuse au centre.

Enfournez la poêle de 10 à 12 minutes : à la sortie du four, l'omelette doit être ferme et légèrement dorée.

149 calories, 5 g de lipides, 13 g de glucides, 21 g de protéines, 8 g de sucre.

POUR 1 PORTION

Porridge de quinoa citron-cerise

INGRÉDIENTS

45 g de quinoa

60 ml de lait d'amande
sans sucre ajouté

6 noix, hachées

1 belle pincée de zeste
de citron râpé

1 pincée de cannelle

10 cerises, dénoyautées
et coupées en deux

RECETTE

Dans une casserole de taille moyenne, versez le
quinoa, le lait d'amande, 120 ml d'eau et portez à
ébullition. Baissez le feu et laissez mijoter à couvert
environ 10 minutes ou jusqu'à ce que le quinoa soit
bien gonflé et le liquide presque entièrement absorbé.
Égrainez à l'aide d'une fourchette, puis ajoutez les
noix, le zeste de citron, la cannelle et les cerises avant
de déguster.

298 calories, 11 g de lipides, 42 g de glucides,
9 g de protéines, 11 g de sucre.

POUR 1 PORTION

Mon petit bocal acidulé

INGRÉDIENTS

100 g de quinoa cuit

2 cuil. à soupe bombées de haricots rouges en boîte, égouttés et rincés

1 belle pincée de cumin

½ cuil. à soupe de jus de citron (frais)

Sel

Poivre

POUR LA GARNITURE ACIDULÉE

½ mangue, pelée et coupée en petits cubes

¼ d'avocat, pelé et coupé en petits cubes

½ cuil. à soupe de jus de citron vert

2 cuil. à soupe d'oignon rouge haché

1 cuil. à soupe de feuilles de coriandre hachées

½ poivron rouge, épépiné et émincé

2 poignées de feuilles de roquette grossièrement hachées

RECETTE

Versez le quinoa, les haricots, le cumin, le jus de citron, du sel et du poivre dans un grand bocal en verre. Fermez le bocal et agitez-le pour mélangez le tout. Préparez ensuite la garniture acidulée : dans un cul de poule, mélangez délicatement les cubes de mangue et d'avocat avec le jus de citron vert, l'oignon rouge et la coriandre.

Versez la garniture sur le mélange quinoa-haricots, ajoutez une couche de poivrons et terminez par les feuilles de roquette. À table !

379 calories, 10 g de lipides, 67 g de glucides, 12 g de protéines, 18 g de sucre.

POUR 1 PORTION

Hamburger végétarien

INGRÉDIENTS

2-3 cuil. à soupe de panko (ou de chapelure classique)

½ gousse d'ail, hachée

4 cuil. à soupe bombées de haricots rouges en boîte, égouttés et rincés

¼ poivron rouge, épépiné et émincé

1 pincée de piment d'Espelette

½ cuil. à café de cumin

Sel

Poivre

1 cuil. à soupe de feuilles de coriandre hachées

2 cuil. à café de jus de citron vert

1 cuil. à café d'huile d'olive

1 pain à hamburger complet, toasté

Garniture : mesclun, rondelles de tomate, yaourt à la grecque à 0 %, moutarde...

RECETTE

Versez la chapelure, l'ail, les haricots, le poivron, le piment d'Espelette, le cumin, du sel, du poivre, la coriandre et le jus de citron vert dans un robot et mixez jusqu'à obtenir un appareil homogène. Transvasez le mélange dans un saladier et façonnez un steak végétarien.

Dans une poêle antiadhésive, faites chauffer l'huile d'olive à feu moyen-vif, puis faites dorer le steak de 3 à 4 minutes sur chaque face.

Assemblez le hamburger en déposant le steak sur le pain, garnissez avec les légumes de votre choix, puis replacez le chapeau sur le dessus. Dégustez.

284 calories, 7 g de lipides, 46 g de glucides, 13 g de protéines, 5 g de sucre.

POUR 1 PORTION

Poêlée légumes-tofu

INGRÉDIENTS

- 1 cuil. à soupe de sauce soja à teneur réduite en sel
- ½ cuil. à café d'huile de sésame grillé
- ¼ de bloc de tofu ferme, coupé en cubes
- 50 g de champignons de Paris (frais), émincés
- ¼ de poivron rouge, épépiné et détaillé en lamelles
- 50 g sommités de brocoli, émincées
- 75 g de pois mange-tout
- ½ cuil. à soupe de beurre de cacahuète allégé en matières grasses
- 6 poignées d'épinards frais, hachés
- 100 g de riz complet ou de quinoa cuit

RECETTE

Dans une sauteuse antiadhésive, faites chauffer la sauce soja, l'huile et 1 cuil. à soupe d'eau à feu moyen. Ajoutez le tofu et laissez cuire 2 minutes. Ajoutez les champignons, augmentez le feu (moyen-vif) et laissez cuire 5 minutes en remuant de temps en temps. Versez ensuite le poivron dans la poêle puis, 3 minutes plus tard, le brocoli, les pois mange-tout et le beurre de cacahuète. Après 2 minutes de cuisson, ajoutez les épinards et laissez cuire jusqu'à ce qu'ils fanent, soit environ 1 minute.
Servez avec du riz complet ou du quinoa.

253 calories, 10 g de lipides, 30 g de glucides, 18 g de protéines, 5,5 g de sucre.

POUR 1 PORTION

Poulet au parmesan

INGRÉDIENTS

1 filet de poulet (115 g)

½ cuil. à soupe
de moutarde

1 pincée d'origan

1–2 cuil. à soupe
de parmesan râpé

1 filet d'huile d'olive

125 ml de sauce tomate
(si possible, à teneur
réduite en sel)

100 g de légumes
au choix (brocoli,
courgette, courgette
jaune, poivron
rouge), émincés

RECETTE

Préchauffez le four à 200 °C (th. 6-7).

Badigeonnez le poulet de moutarde, parsemez-le
d'origan, puis enrobez-le de parmesan râpé.

Versez le filet d'huile d'olive dans une sauteuse
antiadhésive et faites revenir le poulet à feu moyen-
vif, 2 à 3 minutes sur chaque face (il doit être joliment
doré).

Dans un cul de poule, mélangez la sauce tomate et
les légumes, puis versez le tout dans un plat à four en
Pyrex. Déposez le filet de poulet sur le lit de légumes
et enfournez pendant 15 à 20 minutes, ou jusqu'à
ce que les légumes soient tendres.

312 calories, 12 g de lipides, 17 g de glucides,
34 g de protéines, 9 g de sucre.

POUR 1 PORTION

Cookies orange-cranberry

INGRÉDIENTS

- 1 filet d'huile de cuisson
- 50 g de flocons d'avoine
- 1 banane (de taille moyenne)
- 1 cuil. à café de zeste d'orange râpé
- 1 cuil. à soupe de cranberries séchées

RECETTE

Préchauffez le four à 180 °C (th. 6). Graissez une plaque à pâtisserie avec le filet d'huile.

Versez les flocons d'avoine, la banane et le zeste d'orange dans un robot et mixez. Versez la pâte obtenue dans un saladier et ajoutez les cranberries en mélangeant délicatement à la main.

Divisez la pâte en deux, façonnez deux cookies et déposez-les sur la plaque. Enfournez 15 minutes, ou jusqu'à ce que les cookies soient légèrement dorés et fermes au toucher.

273 calories, 3 g de lipides, 59 g de glucides, 6 g de protéines, 19 g de sucre (par cookie).

POUR 2 COOKIES

Smoothie menthe-chocolat

INGRÉDIENTS

- 1 banane, coupée en rondelles et préalablement placée au congélateur
- 6 poignées d'épinards frais, hachés
- ½ cuil. à soupe de sirop d'agave
- 20 feuilles de menthe fraîche, grossièrement hachées
- 80 ml d'eau ou d'eau de coco
- 2 poignées de glace pilée
- 1 cuil. à soupe de pépites de chocolat noir (facultatif)

RECETTE

Versez la banane, les épinards, le sirop d'agave, les feuilles de menthe, l'eau, et la glace pilée dans un blender. Mixez jusqu'à obtenir un mélange homogène. Ajoutez les pépites de chocolat, mélangez et versez le tout dans un grand verre avant de servir.

182 calories, 4 g de lipides, 40 g de glucides, 3 g de protéines, 26 g de sucre.

POUR 1 SMOOTHIE

Smoothie Piña Colada

INGRÉDIENTS

150 g d'ananas, coupé
en morceaux et
préalablement placé
au congélateur

250 ml d'eau de coco

½ banane, coupée
en rondelles et
préalablement placée
au congélateur

1 dose de protéines
en poudre

2 poignées de glace
pilée

RECETTE

Versez tous les ingrédients dans un blender et mixez
jusqu'à obtenir un mélange homogène. Versez la
préparation dans un grand verre et dégustez.

172 calories, 8 g de lipides, 38 g de glucides,
6 g de protéines, 31 g de sucre.

POUR 1 SMOOTHIE

Les menus minceur spécial printemps

LUNDI	MARDI	MERCREDI	JEUDI
Petit déjeuner 1 tranche de pain complet servie avec ¼ d'avocat et 4 blancs d'œufs brouillés	**Petit déjeuner** Frittata sauce piquante (*p. 81*)	**Petit déjeuner** Porridge aux fruits rouges : 100 g de flocons d'avoine cuits mélangés avec 75 g de fraises coupées en morceaux et 1 cuil. à café de sirop d'agave	**Petit déjeuner** Porridge de quinoa citron-cerise (*p. 82*)
Collation Tacos fraîcheur (*p. 29*)	**Collation** 1 pêche bien mûre, 10 amandes		**Collation** 100 g de cubes d'ananas, 8 noix de cajou
Déjeuner Wrap à la dinde et à l'houmous : 115 g de blanc de dinde à teneur réduite en sel, 2 rondelles de tomate bien mûre, 2 poignées de mesclun, servis dans une tortilla au blé complet tartinée de 1 cuil. à soupe d'houmous	**Déjeuner** Mon petit bocal acidulé (*p. 83*)	**Collation** Smoothie menthe-chocolat (*p. 88*)	**Déjeuner** Hamburger végétarien (*p. 84*)
	Collation Yaourt à la grecque allégé en matières grasses	**Déjeuner** Salade de poulet : 200 g de crudités (tomate, concombre, brocoli, poivron, laitue...) et 1 filet de poulet (115 g) cuit et déchiré en lanières, le tout arrosé d'une vinaigrette composée de 1 cuil. à soupe de vinaigre balsamique, de 1 cuil. à café d'huile d'olive, et de ½ cuil. à soupe de jus de citron	**Collation** Tacos fraîcheur (*p. 29*)
Collation 2 abricots, 10 amandes	**Dîner** Fajita : 1 filet de poulet (115 g), ½ poivron jaune, ½ poivron rouge, 1 oignon et 1 tomate bien mûre, le tout émincé et cuit sauté à la poêle avec 1 gousse d'ail hachée, 1 pincée de piment d'Espelette et 1 pincée de cumin, et servi dans une tortilla au blé complet		**Dîner** Poêlée légumes-tofu (*p. 85*)
Dîner Poêlée légumes-tofu (*p. 85*)		**Collation** 2 petits concombres, détaillés en rondelles et tartinés de 2 cuil. à soupe d'houmous	
		Dîner Poulet au parmesan (*p. 86*)	

Les recettes suivies d'un folio sont détaillées dans ce livre aux pages correspondantes ;
quant aux autres, elles sont si simples que vous pourrez les réaliser en un tour de main !

VENDREDI	SAMEDI	DIMANCHE
Petit déjeuner Yaourt à la grecque allégé en matières grasses avec 2 poignées de fruits rouges	**Petit déjeuner** Œufs brouillés aux épinards : 4 blancs d'œufs brouillés avec 2 poignées d'épinards hachés et 1 cuil. à soupe de parmesan râpé, le tout servi sur une tranche de pain complet	**Petit déjeuner** 100 g de flocons d'avoine cuits, 1 pomme
Collation 1 gros œuf dur, ¼ d'avocat		**Collation** Yaourt à la grecque allégé en matières grasses
Déjeuner Salade de poulet : 200 g de crudités (tomate, concombre, brocoli, poivron, laitue...) et 1 filet de poulet (115 g) cuit et déchiré en lanières, le tout arrosé d'une vinaigrette composée de 1 cuil. à soupe de vinaigre balsamique, de 1 cuil. à café d'huile d'olive, et de ½ cuil. à soupe de jus de citron	**Collation** Cookies orange-cranberry (p. 87) **Déjeuner** Mon petit bocal acidulé (p. 83)	**Déjeuner** Taboulé à la mexicaine : 100 g de quinoa cuit, 2 cuil. à soupe bombées de haricots rouges en boîte, 6 poignées d'épinards hachés et 50 g de pico de gallo
Collation Smoothie Piña Colada (p. 89)	**Collation** 1 pomme, 1 cuil. à soupe de purée d'amandes	**Collation** 10 bâtonnets de carotte à tremper dans 2 cuil. à soupe d'houmous
Dîner Fajita : 1 filet de poulet (115 g), ½ poivron jaune, ½ poivron rouge, 1 oignon et 1 tomate bien mûre, le tout émincé et cuit sauté à la poêle avec 1 gousse d'ail hachée, 1 pincée de piment d'Espelette et 1 pincée de cumin, et servi dans une tortilla au blé complet	**Dîner** Assiette protéinée : 115 g de dinde ou de poulet revenus à la poêle avec 6 pointes d'asperges, 6 poignées d'épinards hachés, 50 g de sommités de brocoli et 1 cuil. à soupe de vinaigre balsamique	**Dîner** Poulet vitaminé : 115 g de filet de poulet grillé, servi avec un mélange de 1 tomate bien mûre coupée en dés, 4 pointes d'asperges vapeur et 50 g de courgette vapeur, assaisonné avec 1 cuil. à soupe de basilic frais haché et 2 cuil. à café de vinaigre balsamique, le tout surmonté de ¼ d'avocat coupé en cubes

Le petit mot de Cassey

Comment entretenir sa motivation ?

Il y a des jours où on n'a tout simplement pas envie de s'y mettre... Je ne vais pas le nier, trouver la motivation nécessaire pour s'arracher du canapé est parfois difficile, surtout quand on se répète inlassablement « Pfff, à quoi bon ? »

De même, il faut parfois se faire violence pour aller chercher son fit-ball alors qu'il dort dans un coin depuis quelques jours – pour ma part, c'est dans ces moments-là que j'ai le plus de mal à me motiver. Ce n'est pas que je sois fatiguée, c'est simplement que j'ai l'impression de ne pas avoir pratiqué depuis si longtemps que je me sens comme rouillée. Je vous l'accorde, cette phase n'est pas la plus agréable : on se sent molle, lente et faible. Mais, la plupart du temps, il suffit simplement de se faire violence le temps que la machine se remette en route. Arrêtez de geindre, enfilez votre tenue de sport, attrapez votre bouteille d'eau et **lancez-vous**.

Dès que vous aurez repris goût au sport, vous retrouverez de bonnes sensations, de la force musculaire et les résultats se feront sentir rapidement. Pour ma part, il n'y a rien de plus motivant que de voir concrètement le fruit de mes efforts et de ma détermination. D'accord, ce n'est pas toujours facile, mais le jeu n'en vaut-il pas largement la chandelle ?

Alors si vous sentez que vous manquez d'entrain, ne vous posez plus de questions et sortez immédiatement prendre l'air et faire votre séance de sport. Vous savez que c'est bon pour vous, alors n'attendez plus, **agissez** !

Des courbatures aujourd'hui, des muscles demain !

♡ Cassey

ÉTÉ

L'été

Profiter des beaux jours
pour faire du sport et manger sain

Enfin la saison de la bronzette, des bikinis et des fraises ! Avec ses longues journées ensoleillées qui accroissent le temps que l'on peut passer dehors, l'été est mon moment préféré de l'année. Mais à mesure qu'on ôte des couches de vêtements, on devient souvent de plus en plus consciente de son corps, et en particulier de ses défauts. Il est bien sûr important de se sentir à l'aise dans son corps, mais n'oubliez pas que la véritable beauté vient de l'intérieur – et que c'est donc en aimant son corps qu'on le rend radieux.

En outre, en été, ce ne sont pas les moyens ludiques de manger sain et de faire de l'exercice qui manquent : nager, partir en randonnée, faire du vélo les cheveux au vent, pique-niquer avec un panier rempli de salades composées en provenance directe du marché local : miam ! Profitez de vos vacances et de vos week-ends pour bouger votre corps en plein air. Et, tant que vous y êtes, pourquoi ne pas inviter vos amis sportifs pour faire des séances à plusieurs sur la plage ou au jardin public ? Plus on est de fous, plus on rit !

MES EXERICES D'ÉTÉ

Tout d'abord, rappelez-vous qu'outre la tablette de chocolat et les cuisses fuselées qu'il nous permet d'acquérir, le sport a la particularité de nous inciter à repousser nos limites. Ça vous dirait d'essayer de tenir en Planche 30 secondes de plus qu'il y a deux semaines ? De réussir à faire plus d'abdos que votre homme ? De devenir plus forte, plus résistante ? De ne plus jamais laisser quoi (ou qui) que ce soit vous arrêter ?

Comme vous le verrez, les exercices suivants ciblent les parties du corps qu'on a souvent du mal à assumer en public, surtout quand il faut se montrer en maillot de bain pour la première fois depuis des mois. Premièrement, personne n'est parfait ; jetez un coup d'œil autour de vous et vous vous en rendrez compte rapidement. Mais ce qui vous sautera probablement encore plus aux yeux, ce sont ces gens qui s'amusent comme des fous sur la plage sans se préoccuper de leurs petites imperfections. Je vous encourage donc à muscler votre corps mais aussi à le rendre plus sain. Je sais que vous en êtes capable : il suffit juste de vous donner à 110 % dans vos séances d'entraînement !

De plus, il y a un autre point – qui n'a rien à voir avec le physique, cette fois – sur lequel je vous encourage à travailler cet été. Inévitablement, il va y avoir des jours où vous allez vous regarder dans le miroir après des semaines d'effort et vous dire que vos abdos ne sont pas aussi dessinés que vous l'espériez. Dans ces moments-là, vous risquez alors d'avoir envie d'abandonner, mais relevez la tête : ce n'est pas une défaite ! Rappelez-vous que vous n'avez pas fait tout ça uniquement pour vous sculpter une tablette de chocolat, mais aussi pour vous sentir plus forte : et c'est le cas ! Vous êtes bien plus sûre de vous que vous ne l'étiez le premier jour du programme et personne ne peut vous enlever ça. Persévérez et vous récolterez le fruit de vos efforts : une silhouette de rêve et une assurance communicative.

SÉANCE D'ENTRAÎNEMENT N° 1 : OUI AU BIKINI, NON À LA BOUÉE !

Cet été, ne reniez plus aucune photo de vous en bikini grâce à cette séance d'abdominaux particulièrement corsée. Vos abdos vont tellement trembler que l'échelle de Richter ne saura plus où donner de la tête ! Mais tenez bon : vos efforts seront récompensés quand vous rayonnerez sur la plage, pleine d'assurance et de confiance en vous.

Comment perdre une taille et gagner des centimètres en un clin d'œil ?

Éloignez vos épaules le plus loin possible de vos oreilles et tenez-vous le buste bien droit : votre cou paraîtra ainsi plus long et votre port plus élégant. Pour affiner votre taille en un claquement de doigt, rentrez le ventre et optez pour des robes cintrées, de préférence noires puisque, de l'avis général, c'est la couleur la plus amincissante. Ajoutez une paire d'escarpins pour galber vos mollets et allonger vos jambes et le tour est joué ! Avec une telle combinaison, vous ne pourrez qu'être magnifique et, surtout, vous vous sentirez belle et sûre de vous !

L'ÉTOILE × 15
RENFORCE : LES ABDOMINAUX

A Allongez-vous en étoile, le dos au sol, les bras étirés au-dessus de la tête et les jambes tendues devant vous. Passez en Position de base, en contractant les abdominaux de manière à décoller les épaules et à avoir le regard horizontal.

B Redressez-vous dans un mouvement fluide et trouvez le point d'équilibre sur votre coccyx en prenant vos genoux dans les bras. Si vous débutez, contentez-vous d'effectuer un crunch et d'attraper vos genoux en gardant le bas du dos au sol. Revenez lentement en position initiale sans reposer les omoplates sur le tapis.

L'ÉTOILE DE MER – 30 SECONDES DE CHAQUE CÔTÉ × 2
RENFORCE : LES OBLIQUES, LES ÉPAULES, LES JAMBES

A Allongez-vous sur le côté gauche et placez la main gauche sous votre épaule. Placez vos jambes l'une contre l'autre et tendez-les. Poussez sur votre paume pour passer en Planche latérale en gardant votre bras d'appui dans le prolongement direct de l'épaule et l'autre tendu vers le ciel. Si vous débutez, prenez appui sur les genoux plutôt que sur les pieds, voire sur le coude plutôt que sur la main.

B Restez en Planche latérale et levez la jambe droite aussi haut que possible. Maintenez la position ! Relâchez, puis tenez à nouveau 30 secondes. Répétez 2 fois de chaque côté.

LA BARQUE - 30 SECONDES × 2
RENFORCE : LA SANGLE ABDOMINALE

A Allongez-vous sur le dos, levez les bras en couronne au-dessus de votre tête et tendez les jambes loin devant vous, les chevilles croisées.

B Décollez les jambes et le haut du corps jusqu'au milieu du dos : seul votre coccyx et vos lombaires doivent toucher le sol. Balancez-vous ensuite d'avant en arrière comme si votre corps était une barque qui voguait au gré des courants.

LE TREMBLEMENT DE TERRE × 15 SECONDES, 20 SECONDES, 30 SECONDES
RENFORCE : LA SANGLE ABDOMINALE

A Asseyez-vous le dos bien droit, les jambes jointes et tendues vers l'avant. Levez vos bras à l'horizontale, de manière à ce qu'ils soient parallèles à vos jambes. Si vous débutez, vous pouvez plier les genoux et arrondir légèrement le bas du dos comme pour faire un Roll down.

B Penchez-vous en arrière aussi loin que possible en résistant à la gravité uniquement par la force de votre sangle abdominale. Maintenez la position. Je vous préviens, vos abdos vont trembler ; d'où le nom de l'exercice ! Si vous voulez le corser davantage, levez les bras un peu plus haut (en diagonale) ou carrément au-dessus de la tête pour celles qui se sentent pousser des ailes !

LA BICYCLETTE À TROIS TEMPS × 20
RENFORCE : LE HAUT ET LE BAS DES ABDOMINAUX

A Placez-vous en position de Chaise renversée, c'est-à-dire sur le dos, les cuisses à la verticale et les tibias parallèles au sol. Votre tête, votre nuque et vos omoplates ne doivent pas toucher le sol (Position de base) et votre regard doit porter à l'horizontale. Croisez les mains derrière la tête et écartez les coudes.

B Tendez votre jambe droite vers l'avant, puis ramenez-la et tendez la jambe gauche. Ramenez la jambe gauche et tendez à nouveau la jambe droite avant de la ramener en position initiale. Marquez une pause et effectuez un minicrunch.

LE CRUNCH INVERSÉ AVEC CHANDELLE × 15
RENFORCE : LE BAS DES ABDOMINAUX

A Allongez-vous sur le dos, les bras le long du corps, paumes vers le bas. Croisez les chevilles et placez vos jambes en position de Chaise renversée (cuisses à la verticale, tibias parallèles au sol).

B Contractez le bas de vos abdominaux et poussez votre coccyx vers le haut en étirant vos orteils vers le ciel !

Garder le rythme en vacances

LA VALISE : Emportez vos baskets et votre tenue de sport ! Vous serez plus encline à faire du sport si vous avez vos affaires sous la main. Plus d'excuses !

DANS L'AVION : Préférez les sièges côté couloir. Vous pourrez ainsi vous lever plus facilement pour faire quelques pas en cas de crampe ou vous dégourdir les jambes avec quelques levés de talons. Trois séries de 12 à 15 levés de talons devraient faire l'affaire.

À L'HÔTEL : Demandez à la réception si l'hôtel est équipé d'une salle de sport et, si oui, où elle se trouve. Si ce n'est pas le cas, reste la solution du footing. Qu'y a-t-il de plus génial que d'explorer une ville inconnue en courant ? Pour moi, c'est le meilleur moyen d'en découvrir toutes les richesses de manière saine et sportive : j'adore ! Et s'il fait vraiment trop mauvais pour sortir, n'oubliez pas que le POP Pilates peut se pratiquer n'importe où, y compris dans une minuscule chambre d'hôtel !

LE PHOQUE × 20
RENFORCE : LE HAUT ET LE BAS DES ABDOMINAUX

A Croisez les mains derrière la tête et écartez les coudes. Décollez la tête, la nuque et les épaules et regardez droit devant (Position de base). Pieds joints, tendez les jambes vers l'avant et décollez-les de quelques centimètres.

B Écartez les pieds à la largeur des hanches, puis joignez-les à nouveau en tapant vos talons l'un contre l'autre.

SÉANCE D'ENTRAÎNEMENT N° 2 : DES FESSIERS D'ACIER

Finies les fesses tombantes que l'on cache à la plage ! Avec l'exercice de la Palourde et ses multiples variantes, sculptez-vous des fessiers fermes et rebondis à exhiber sans modération ! Et par la même occasion, travaillez votre maintien et affinez votre silhouette avec l'exercice de la Danseuse étoile : mettez votre morceau préféré en fond sonore et réveillez la danseuse qui sommeille en vous.

LA PALOURDE × 20 DE CHAQUE CÔTÉ
RENFORCE : LES FESSIERS

A Allongez-vous sur le côté gauche et soutenez votre tête à l'aide de votre main gauche. Placez votre main droite devant vous pour maintenir votre buste en position. Pliez les genoux en chien de fusil de manière à ce qu'ils forment un angle droit.

B Expirez en écartant les genoux au maximum : votre buste doit rester droit et vos talons joints. Inspirez en refermant les genoux.

LA PALOURDE EN PLANCHE LATÉRALE
× 20 DE CHAQUE CÔTÉ
RENFORCE : LES FESSIERS, L'EXTÉRIEUR
DES CUISSES

A Gardez les genoux en chien de fusil et soulevez le buste comme pour une Planche latérale (main gauche sous l'épaule gauche, bras tendu). Placez votre main droite sur vos hanches.

B Expirez en ouvrant grand les genoux (talons joints), et inspirez en les refermant.

LA PALOURDE EN PLANCHE LATÉRALE AVEC LEVÉ DE JAMBE
× 20 DE CHAQUE CÔTÉ
RENFORCE : LES FESSIERS, LES CUISSES

A Placez la main gauche sous l'épaule gauche et la droite sur les hanches. Tendez le bras gauche pour passer en Planche latérale sur les genoux. Tendez la jambe droite vers le haut.

B En gardant la jambe droite tendue, effectuez des battements de haut en bas. Expirez en montant et inspirez en descendant.

LA DEMI-PALOURDE AVEC MINICERCLES
× 10 VERS L'AVANT ET 10 VERS L'ARRIÈRE
RENFORCE : LES FESSIERS, LES CUISSES

A Soutenez votre tête avec la main gauche et placez la main droite devant vous pour maintenir votre buste en position. Pliez les genoux en chien de fusil, puis levez la jambe droite à la verticale, les orteils pointés vers le ciel. Gardez le genou gauche collé au tapis mais soulevez également le pied et les orteils vers le ciel.

B Avec la jambe droite, dessinez 10 minicercles vers l'avant, puis 10 vers l'arrière. Changez de côté dès que vous avez terminé !

L'EXTENSION DE LA HANCHE (AVEC GENOUX CROISÉS) × 20 DE CHAQUE CÔTÉ
RENFORCE : LES FESSIERS, LES CUISSES

A Mettez-vous à quatre pattes, les mains alignées sous les épaules, les paumes bien à plat et les genoux écartés à la largeur des hanches. Croisez votre genou gauche derrière votre genou droit (vos deux genoux doivent toucher le tapis).

B Poussez la jambe gauche vers le haut jusqu'à ce qu'elle soit bien tendue, les orteils pointés vers l'arrière.

LA DANSEUSE ÉTOILE × 20
DE CHAQUE CÔTÉ
RENFORCE : LES FESSIERS,
LE BAS DU DOS, LES CUISSES

A Placez la jambe gauche comme pour
vous asseoir en tailleur et croisez votre
jambe droite par-dessus. Vos orteils droits
doivent toucher le tapis juste à côté de votre
genou gauche et votre genou droit se trouver
approximativement à la même hauteur
que votre sternum. Amenez vos deux bras
complètement sur la gauche.

B Expirez en tendant la jambe droite
devant vous puis faites-la pivoter
complètement vers l'arrière en inclinant
votre buste vers l'avant. Dans le même
temps, balayez l'espace devant vous avec vos
bras pour les faire passer sur le côté droit.
Inspirez en revenant en position initiale.

SÉANCE D'ENTRAÎNEMENT N° 3 : DES CUISSES FUSELÉES À LA PLAGE

Prête à ressortir vos shorts de plage et vos minijupes pour faire honneur à vos nouvelles cuisses de top model ? Pour bien faire, concentrez-vous d'abord sur l'exécution parfaite des exercices proposés ci-après : soyez précise dans vos mouvements et, une fois que vous maîtriserez bien le geste, accélérez la cadence !

LA GRENOUILLE × 15
RENFORCE : L'INTÉRIEUR DES CUISSES

A Croisez les doigts derrière la tête, écartez les coudes, décollez la tête, la nuque et les épaules (Position de base) et regardez droit devant vous. Fléchissez les pieds et joignez les talons en écartant les genoux au maximum. Ces derniers doivent se trouver sur le même axe vertical que vos hanches. Si vous débutez, laissez la tête et les épaules au sol et placez vos mains en triangle sous votre coccyx.

B Expirez en poussant vos talons vers l'avant, comme pour fermer une énorme porte. Tendez les jambes, rapprochez les genoux et, surtout, gardez bien les talons serrés l'un contre l'autre ! Inspirez en revenant en position initiale.

Vous ne croyez pas en vous ?

Eh bien vous devriez ! Moi, je crois en vous. L'estime de soi est un atout à ne pas négliger et vous devriez faire tout ce qui est en votre pouvoir pour l'alimenter. Ne laissez jamais personne vous dissuader de réaliser vos rêves.

LA GRENOUILLE EN EXTENSION × 20
RENFORCE : L'INTÉRIEUR DES CUISSES, LES QUADRICEPS,
LE BAS DES ABDOMINAUX

A Croisez les doigts derrière la tête, écartez les coudes, décollez la tête, la nuque et les épaules (Position de base) et regardez droit devant vous. Écartez et levez les jambes en les gardant bien tendues et en fléchissant les pieds.

B Rapprochez vos jambes jusqu'à ce que vos talons se touchent, puis écartez-les à nouveau. Vos jambes doivent rester droites tout au long de l'exercice.

L'ADDUCTION DE LA HANCHE × 20
DE CHAQUE CÔTÉ
RENFORCE : L'INTÉRIEUR DES CUISSES

A Allongée sur le côté gauche, soutenez votre tête à l'aide de votre main gauche et, avec l'autre main, attrapez votre cheville droite et rapprochez-la de votre buste. Tendez la jambe gauche, fléchissez le pied en plaçant le talon vers le haut et les orteils vers le bas. La position vous paraîtra peut-être un peu étrange, mais elle n'a pas son pareil pour muscler les adducteurs.

B Gardez la jambe gauche bien droite et levez votre talon vers le ciel. Revenez en position initiale puis répétez le mouvement.

LA PLANCHE LATÉRALE AVEC TRIANGLE (GENOU AU SOL) × 12 POUR CHAQUE JAMBE

RENFORCE : L'EXTÉRIEUR DES CUISSES, LES FESSIERS

A Placez-vous en Planche latérale en appui sur un genou et un coude. Placez l'autre main sur vos hanches et tendez la jambe du dessus vers le haut.

B Ramenez la jambe du dessus vers l'avant et venez toucher le bord du tapis avec vos orteils. Remontez la jambe vers le ciel (aussi haut que possible) et poussez-la derrière vous pour toucher l'autre bord du tapis. Votre jambe doit ainsi dessiner un grand triangle : comptez 1 répétition à chaque fois que votre jambe passe par le sommet du triangle.

LES CISEAUX VERTICAUX × 20
RENFORCE : L'INTÉRIEUR ET L'EXTÉRIEUR DES CUISSES,
LE BAS DES ABDOMINAUX

A Allongée sur le dos, placez vos mains en triangle sous votre coccyx et laissez votre tête bien à plat sur le tapis. Levez les jambes à la verticale et pointez les orteils vers le ciel.

B Inspirez en écartant les jambes, puis expirez en les ramenant au centre. À chaque retour au centre, croisez vos chevilles l'une sur l'autre.

LE DOUBLE D × 12
RENFORCE : LE BAS DES
ABDOMINAUX, LES CUISSES,
LES QUADRICEPS, LA SOUPLESSE
DES HANCHES

A Allongée sur le dos, placez vos mains en triangle sous votre coccyx et laissez votre tête bien à plat sur le tapis. Levez les jambes à la verticale et pointez les orteils vers le ciel. Le bas de votre dos ne doit pas décoller du tapis.

B Sur l'inspiration, abaissez les jambes en les gardant tendues et jointes. Sur l'expiration, dessinez deux grands demi-cercles vers l'extérieur pour revenir en position initiale. Pour vous aider, imaginez que vous dessinez deux grands D majuscules avec vos pointes de pied.

SÉANCE D'ENTRAÎNEMENT N° 4 : UNE POITRINE ET DES BRAS FERMES

Ambiance tropicale pour cette séance d'entraînement où il vous faudra faire le Gecko pour pouvoir lézarder au soleil en arborant fièrement des bras fermes et une poitrine au galbe parfait. Avec l'exercice de la Prière également, vous verrez qu'un exercice *a priori* innocent pourra causer bien des ravages sur la plage...

LE GECKO × 20
RENFORCE : LES ÉPAULES,
LA SANGLE ABDOMINALE, LE BUSTE

A Placez-vous en position de Planche en appui sur les coudes et croisez les bras. Votre corps doit former une ligne droite, de vos épaules à vos chevilles.

B Tendez le bras droit sur le côté et touchez le sol du bout des doigts. Ramenez votre bras en position initiale et faites de même avec l'autre.

LE DERRICK × 15 POUR CHAQUE JAMBE
RENFORCE : LES TRICEPS, LE BUSTE

A Mettez-vous à quatre pattes, les épaules alignées avec les paumes et les genoux écartés à la largeur des hanches. Tendez la jambe droite vers l'arrière et levez-la aussi haut que possible, les orteils pointés vers le ciel.

B Gardez les coudes près de la cage thoracique et inspirez en effectuant une Pompe. Votre menton doit toucher le tapis. Expirez en revenant en position initiale.

LA PRIÈRE × 2 SÉRIES DE 25
RENFORCE : LES PECTORAUX, LES BICEPS

A Asseyez-vous dans la position de votre choix (en tailleur, sur les talons, en position de sirène, etc.). Gardez le dos bien droit et grandissez-vous. Placez vos mains paume contre paume et serrez les coudes.

B Sans jamais les désolidariser, levez les coudes de manière à les faire passer de la hauteur de vos épaules à la hauteur de votre nez.

LA RÉPULSION TRICEPS AVEC LEVÉ DE JAMBE × 15 POUR CHAQUE JAMBE
RENFORCE : LES TRICEPS

A Allongez-vous sur le dos, les genoux pliés vers le haut, prenez appui sur les paumes et les plantes de pied et décollez vos fesses du tapis. Vos doigts doivent être tournés vers vos pieds. Levez la jambe gauche jusqu'à ce qu'elle soit parallèle au sol.

B Inspirez en fléchissant les coudes et en levant la jambe gauche vers le ciel. Expirez en revenant en position initiale (jambe parallèle au sol et bras tendus).

LES POMPES EN CHIEN TÊTE EN BAS
× 12
RENFORCE : LES ÉPAULES

A Placez-vous en posture du Chien tête en bas, c'est-à-dire les paumes à plat, les talons vers le sol, le regard dirigé vers les orteils et le postérieur pointé vers le ciel.

B Gardez les yeux rivés sur vos orteils, inspirez et effectuez une Pompe jusqu'à toucher le sol avec le sommet de votre crâne. Expirez en revenant en position initiale.

LA PLANCHE SUR UN BRAS × 20
RENFORCE : LA SANGLE ABDOMINALE, LE BUSTE, LES ÉPAULES

A Placez-vous en position de Planche, les mains alignées sous les épaules, bras tendus, et les pieds écartés à la largeur des hanches. Si vous débutez, n'hésitez pas à prendre appui sur les genoux.

B En gardant le bassin immobile, tendez le bras gauche vers l'avant, maintenez la position environ 1 seconde, puis faites de même avec le bras droit.

Petit coup de pouce entre amis

Certaines personnes qui prétendent ne pas aimer manger équilibré et faire du sport cachent parfois un mal-être plus profond. Si vous soupçonnez que l'une de vos amies est dans ce cas, inutile de la faire culpabiliser ; essayez plutôt de lui faire découvrir votre monde petit à petit pour qu'elle comprenne à quel point le sport peut être ludique. Invitez-la à dîner chez vous, par exemple, et proposez-lui de vous aider à cuisiner un repas équilibré. Après dîner, sortez faire un tour pour brûler les calories tout en vous racontant les derniers potins. La fois d'après, demandez-lui de venir faire les boutiques avec vous et entraînez-la, ni vu ni connu, vers le rayon fitness : les vêtements de fitness sont toujours si gais et colorés qu'elle ne pourra pas résister ! Proposez-lui ensuite de rester un peu chez vous et voyez si elle se laisserait tenter par une petite séance de POP Pilates avec vous. Cherchez toujours à faire découvrir les joies du sport aux gens qui vous sont chers. Une fois mordus, ils seront aussi accros que vous !

SÉANCE D'ENTRAÎNEMENT N° 5 : FULL BODY (BRÛLE-GRAISSES)

Envoûtez votre amour de vacances avec cette séance de cardio torride. L'exercice du Scorpion, par exemple, fera travailler tous les muscles de votre corps et vous aidera à perdre vos kilos superflus.

LA PLANCHE NIVEAU EXPERT – 10 SECONDES DE CHAQUE CÔTÉ × 6
RENFORCE : LA SANGLE ABDOMINALE

A Placez-vous en position de Planche, les mains alignées sous les épaules, bras tendus, et les pieds écartés un peu plus que la largeur de vos épaules.

B En gardant le bassin immobile et dans le même alignement que le reste du corps, tendez le bras droit et la jambe gauche. Maintenez la position. Cette variante de la Planche est particulièrement difficile. Si vous débutez, prenez plutôt appui sur vos genoux.

LA BICYCLETTE CROISÉE × 20
RENFORCE : LES OBLIQUES, LES QUADRICEPS

A Asseyez-vous le dos bien droit, pieds à plat devant vous et genoux pliés. Croisez les mains derrière la nuque, écartez les coudes et décollez les pieds du sol en cherchant votre point d'équilibre sur votre coccyx.

B Contractez les abdominaux et ramenez votre épaule droite vers votre genou gauche, tout en tendant la jambe droite vers l'avant. Faites de même de l'autre côté et continuez ainsi en alternant.

L'HORLOGE × 8 DANS UN SENS ET 8 DANS L'AUTRE
RENFORCE : LE BAS DES ABDOMINAUX, LES QUADRICEPS

A Allongez-vous sur le dos, prenez appui sur les coudes et ouvrez la poitrine, exactement comme quand vous prenez un bain de soleil ! Tendez les jambes vers l'avant et décollez-les du tapis en gardant les talons serrés l'un contre l'autre et les orteils pointés vers l'avant. Si vous débutez, fléchissez légèrement les genoux.

B Avec vos orteils, dessinez un cercle dans le sens des aiguilles d'une montre. Arrêtez-vous en haut du « cadrant » (à midi) et repartez dans le sens inverse. Pour les débutantes, dessinez les cercles avec vos genoux.

LE SCORPION × 20
RENFORCE : LES TRICEPS, LE BUSTE, LE BAS DU DOS

A Allongez-vous à plat ventre et positionnez vos mains juste à côté de vos épaules.

B En gardant les coudes contre la cage thoracique, ouvrez la hanche et le genou droit de manière à venir toucher le sol à gauche du tapis avec le bout de vos orteils. Dans le même temps, poussez sur vos bras comme pour faire une Pompe. Faites de même de l'autre côté, ce qui vous donne 1 répétition.

L'ÉQUERRE × 15 DE CHAQUE CÔTÉ
RENFORCE : LES OBLIQUES, L'ÉQUILIBRE

A Tenez-vous debout sur votre tapis de sol, la main gauche sur les hanches. Tendez la jambe droite et courbez élégamment le bras droit au-dessus de la tête comme le font les ballerines.

B Expirez en abaissant votre bras droit vers votre jambe droite. Gardez la jambe droite tendue à l'horizontale et contractez les obliques. Inspirez en revenant en position initiale.

LE SQUAT SUMO AVEC LEVÉ DE TALONS × 25
RENFORCE : LES MOLLETS, LES QUADRICEPS, L'INTÉRIEUR DES CUISSES, LES FESSIERS

A Ouvrez grand les jambes et positionnez vos pieds de façon à ce qu'ils soient parallèles au bord du tapis. Si vous débutez, ouvrez les pieds au maximum, mais ne cherchez pas forcément à les avoir parallèles au bord. Écartez les bras en les maintenant à la même hauteur que vos épaules et détendez les doigts. Abaissez votre coccyx vers le sol, comme pour faire le Sumo : on ne bouge plus !

B Décollez les talons comme pour faire des demi-pointes, puis reposez-les au sol. Pendant tout l'exercice, votre coccyx doit rester bien bas, en position de squat.

L'ASCENSEUR EN SQUAT SUMO × 25
RENFORCE : LES FESSIERS, LES QUADRICEPS, L'INTÉRIEUR DES CUISSES, LES MOLLETS

A Effectuez un Squat sumo et décollez les talons. Croisez les doigts et tendez les bras devant vous.

B Avec vos fessiers, effectuez de petits mouvements de bas en haut en gardant les genoux bien fléchis. Vos jambes ne doivent jamais être tendues.

Le petit mot de Cassey

Le bonheur ne se compte pas en kilos

Votre réussite ne se mesure pas uniquement au nombre de kilos que vous perdez. Pour beaucoup d'entre nous malheureusement, notre bonheur dépend encore trop souvent du chiffre qui s'affiche sur la balance, qui trône au bas de nos bulletins de paye ou du nombre de m² que nous pouvons nous offrir. Les symboles de réussite sociale véhiculés par les magazines, la télévision, le cinéma donnent l'illusion que, pour réussir sa vie, il faut être jeune et mince, épouser un homme d'affaires riche à millions, vivre dans une somptueuse demeure hollywoodienne et conduire des voitures de sport étrangères. Or, on peut difficilement être plus loin de la vérité. Réussir sa vie n'a rien à voir avec les biens matériels, c'est un état d'esprit, un épanouissement.

Je ne suis pas en train de vous dire de rester avachie dans votre salon et de ne pas faire d'efforts pour garder la ligne ou décrocher une promotion ; je vous invite simplement à bien faire la différence entre l'estime de soi – c'est-à-dire la valeur que, intérieurement, l'on sait avoir – et la réussite sociale – c'est-à-dire la valeur que la société nous attribue.

Le but de toute vie humaine ne devrait-il pas être d'explorer ses passions et de se donner à fond pour **exploiter au mieux son potentiel personnel** ? Se mettre systématiquement en compétition avec autrui n'a aucun intérêt. À quoi bon comparer son salaire, sa notoriété, sa silhouette avec ceux des autres ? Quel est le rapport entre leur vie et la vôtre ? Aucun, ce sont deux choses qui ne sont même pas comparables !

Votre objectif ne devrait pas être de faire mieux que les autres mais de devenir, jour après jour, la meilleure version de vous-même. Concentrez-vous sur vos talents, affinez-les, exprimez-les et faites profiter les gens qui vous entourent de ces atouts : vous deviendrez ainsi un modèle et une source d'inspiration pour tous. La réussite n'est pas un but en soi, c'est une façon d'être basée sur la connaissance et l'acceptation de soi.

Exploitez votre potentiel au maximum, traversez l'existence avec passion et détermination, construisez votre vie au-delà d'un chiffre, au-delà de ce que l'on attend de vous. Et surtout, aimez-vous. Dès que vous adopterez cette philosophie de vie, vous pourrez accomplir tous vos projets, je le sais de source sûre !

 Cassey

MES PETITS PLATS D'ÉTÉ

Bienvenue à la saison des salades, cette période d'abondance où les fruits et légumes frais sont partout, prêts à sauter dans votre assiette pour des repas sains et équilibrés ! Pour réaliser mes pancakes à la compotée de fruits rouges (*p. 133*), par exemple, j'ai craqué sur de magnifiques framboises et je m'en suis inspirée pour créer la garniture la plus flamboyante que vous n'ayez jamais vue sur des pancakes ! Cela étant, si d'autres fruits – comme des myrtilles, des fraises, des mûres ou, soyons fous, un mélange des quatre ! – vous tentent davantage, n'hésitez pas à adapter la recette. Le but, là encore, est de s'amuser avec les produits de saison, de les laisser nourrir votre créativité de manière à bénéficier quotidiennement de leurs nutriments, sans jamais vous lasser. Idéales pour l'été, les salades sont rafraîchissantes et faciles à réaliser, c'est pourquoi vous en trouverez de nombreuses recettes dans les pages qui suivent. En cette saison, votre jardin, les étals de marché et les rayons des primeurs débordent de fruits et de légumes frais, alors pourquoi se priver ? Essayez la salade estivale et sa vinaigrette à l'avocat (*p. 137*) ou le mille-feuille mexicain à l'aubergine (*p. 138*) : le potager n'a-t-il pas fière allure dans votre assiette ?

Mon panier de saison

Légumes	Piment	Fraise
Aubergine	Pois mange-tout	Framboise
Betterave	Radis	Fruit de la
Bettes	Roquette	Passion
Brocoli	Tomate	Melon
Concombre		Mûre
Courgette	Fruits	Myrtille
Frisée	Abricot	Nashi (poire
Gombos	Ananas	asiatique)
Haricots verts	Baies de	Nectarine
Laitue	sureau	Pastèque
Laitue rouge	Cerise	Pêche
Pâtisson	Citron vert	Prune
Petits pois	Figue	Raisin

Pancakes à la compotée de fruits rouges

INGRÉDIENTS

POUR LA COMPOTE
½ pomme avec sa peau, évidée et coupée en dés

1 poignée de framboises (de fraises, de myrtilles, de mûres ou un panaché)

POUR LES PANCAKES
2 gros œufs

2 bananes bien mûres

1 filet d'huile

RECETTE

Pour la compote : versez les dés de pomme et 30 ml d'eau dans une petite casserole. Couvrez et laissez mijoter à feu doux 6 à 8 minutes, ou jusqu'à ce que les pommes soient fondantes. Retirez du feu et ajoutez les fruits rouges. Mélangez délicatement, puis laissez refroidir. Versez ensuite le mélange dans un blender et mixez jusqu'à obtenir une texture lisse et homogène. Transvasez dans un saladier et réservez. Pour les pancakes : nettoyez le bol du blender, puis mixez les œufs et les bananes jusqu'à obtenir un appareil homogène.

Versez un filet d'huile dans une crêpière et faites chauffer à feu moyen-vif. Versez la pâte à pancake dans la poêle et laissez cuire 2 à 3 minutes de chaque côté. Servez avec la compote et dégustez.

375 calories, 10 g de lipides, 60 g de glucides, 15 g de protéines, 32 g de sucre.

POUR 1 PORTION

Pain perdu végétalien

INGRÉDIENTS

120 ml de lait d'amande
sans sucre ajouté

60 ml de jus d'orange
(fraîchement pressé)

1 cuil. à café de
cannelle

1 cuil. à café d'arôme
naturel de vanille

2 tranches de pain
aux graines germées

1 filet d'huile

Garniture : sirop
d'agave, sirop
d'érable, fruits
rouges...

RECETTE

Dans un cul de poule, fouettez le lait d'amande, la cannelle, le jus d'orange et l'arôme naturel de vanille. Plongez les tranches de pain dans le mélange jusqu'à ce qu'elles l'aient entièrement absorbé.

Dans une poêle, versez le filet d'huile et faites chauffer à feu moyen-vif. Déposez les tranches de pain perdu dans la poêle chaude et laissez-les cuire jusqu'à coloration, soit 2 à 3 minutes de chaque côté. Servez agrémenté de la garniture de votre choix.

227 calories, 2 g de lipides, 41 g de glucides, 9 g de protéines, 9 g de sucre.

POUR 1 PORTION

Pizza sans pâte aux figues et au romarin

INGRÉDIENTS

POUR LA PÂTE

100 g de sommités de chou-fleur râpées

½ boule de mozzarella, râpée

1 gros œuf

1 cuil. à café d'origan

½ cuil. à café d'ail haché

1 filet d'huile

POUR LA GARNITURE

75 g de faisselle, ricotta, brousse ou chèvre frais

1 cuil. à soupe de vinaigre balsamique

3 figues fraîches, taillées en tranches fines

1 cuil. à café de romarin (frais ou séché)

1 poignée de feuilles de roquette grossièrement hachées

RECETTE

Préchauffez le four à 180 °C (th. 6).

Pour la pâte : versez la semoule de chou-fleur dans un récipient allant au micro-ondes et laissez cuire 8 minutes à puissance maximale. Incorporez la mozzarella râpée, puis ajoutez l'œuf, l'origan, l'ail et mélangez bien.

Graissez une plaque à four avec le filet d'huile et formez un disque avec la pâte à base de chou-fleur. Enfournez jusqu'à ce qu'elle soit ferme et légèrement dorée, soit environ 10 à 15 minutes. Sortez la pâte du four, sans éteindre le four pour autant.

Pour la garniture : lissez la faisselle au blender. Étalez-le sur la pâte et arrosez de vinaigre balsamique. Répartissez les figues sur la pizza et parsemez de romarin.

Enfournez environ 10 minutes, parsemez de feuilles de roquette et servez.

547 calories, 24 g de lipides, 40 g de glucides, 45 g de protéines, 27 g de sucre.

POUR 2 PORTIONS

Sandwich mimosa (sans œufs)

INGRÉDIENTS

100 g de tofu soyeux,
   coupé en cubes

2 cuil. à soupe
   de mayonnaise
   végétalienne

2 cuil. à café
   de moutarde

1 cuil. à soupe de persil
   plat, haché

1 cuil. à soupe de
   ciboulette, hachée

Sel

Poivre

2 tranches de pain
   aux graines germées

1 grosse poignée de
   mélange de jeunes
   pousses

RECETTE

Dans un cul de poule, brouillez le tofu à l'aide d'une fourchette. Ajoutez la mayonnaise, la moutarde, le persil, la ciboulette, du sel et du poivre. Couvrez et réservez au frais environ 30 minutes.
Répartissez la garniture au tofu sur une tranche de pain, ajoutez une poignée de jeunes pousses et refermez le sandwich avec la seconde tranche de pain avant de déguster.

358 calories, 13 g de lipides, 39 g de glucides,
21 g de protéines, 3 g de sucre.

POUR 1 SANDWICH

Salade estivale, vinaigrette à l'avocat

INGRÉDIENTS

POUR LA SALADE

- 1 filet de poulet (115 g) cuit, coupé en cubes
- 2 poignées de feuilles de roquette, grossièrement hachées
- 4 poignées de pousses d'épinard, grossièrement hachées
- 1 radis rose, coupé en fines rondelles
- ½ poivron rouge, épépiné et coupé en fines lamelles
- 75 g de de sommités de brocoli, émincées
- 1 tour de moulin à poivre

POUR LA VINAIGRETTE À L'AVOCAT

- ¼ d'avocat bien mûr
- 1 grosse poignée de feuilles de coriandre hachées
- ½ gousse d'ail, écrasée
- 1 cuil. à soupe de jus de citron vert
- 1 pincée de sel

RECETTE

Pour la salade : versez tous les ingrédients dans un cul de poule et mélangez.

Pour la vinaigrette : versez tous les ingrédients dans un blender et mixez jusqu'à ce que la sauce soit lisse et homogène. Ajoutez 15 à 30 ml d'eau ou plus en fonction de la consistance que vous souhaitez obtenir. Versez cette sauce sur la salade et mélangez le tout avant de déguster.

238 calories, 11 g de lipides, 11 g de glucides, 29 g de protéines, 3 g de sucre.

POUR 1 PORTION

Mille-feuille mexicain à l'aubergine

INGRÉDIENTS

- 2 cuil. à café d'huile de coco
- 3 rondelles d'aubergine de 0,5 cm d'épaisseur

POUR LA GARNITURE

- ½ courgette, coupée en tronçons
- 1 cuil. à soupe de jus de citron vert
- ½ piment vert, équeuté et épépiné
- ½ gousse d'ail
- 1 pincée de cumin
- 1 cuil. à café de sirop d'agave
- 1 filet de poulet (115 g), cuit, refroidi et détaillé en lanières
- 2 cuil. à soupe de yaourt à la grecque allégé en matières grasses

RECETTE

Préchauffez le four à 190 °C (th. 6-7).

Mettez l'huile de coco à chauffer dans une grande sauteuse (feu moyen-vif). Faites dorer les rondelles d'aubergine 4 minutes sur chaque face.

Pour la garniture : dans un blender, mixez la courgette, le jus de citron vert, le piment, l'ail, le cumin, et le sirop d'agave jusqu'à obtenir un mélange homogène. Versez dans un cul de poule, ajoutez les lanières de poulet et mélangez.

Graissez une plaque à four avec un filet d'huile et déposez une rondelle d'aubergine au centre. Montez le mille-feuille en alternant des couches de garniture et des rondelles d'aubergine, en terminant par une couche de garniture. Consolidez le mille-feuille en le tassant légèrement et en lissant les bords. Enfournez environ 15 minutes et servez avec la cuillerée de yaourt.

225 calories, 4 g de lipides, 19 g de glucides, 30 g de protéines, 9 g de sucre.

POUR 1 PORTION

Cheesecake tout cru aux fruits rouges et vinaigre balsamique

INGRÉDIENTS

POUR LA GARNITURE

300 g de fruits rouges (au choix)

60 ml de vinaigre balsamique

1 cuil. à café de zeste de citron râpé

2 cuil. à café de stévia

POUR LE BISCUIT

250 g de noix

75 g de dattes, dénoyautées

POUR LA CRÈME

375 g de noix de cajou fraîches (mises à tremper minimum 2 heures, idéalement une nuit)

120 ml de sirop d'agave

60 ml de jus de citron

1 cuil. à café d'arôme naturel de vanille

180 ml d'huile de coco liquide (plutôt que de la faire chauffer, placez-la dans un bol chaud pour la faire fondre)

RECETTE

Pour la garniture : dans un cul de poule, mélangez délicatement les fruits rouges, le vinaigre balsamique, le zeste de citron et la stévia. Filmez et réservez au réfrigérateur.

Pour le biscuit : mixez finement les noix et les dattes au robot. Répartissez le mélange dans un moule à gâteau de 20 cm de large, et tassez légèrement.

Pour la crème : versez tous les ingrédients dans un robot et mixez jusqu'à obtenir un appareil lisse et homogène. Versez sur le biscuit et placez au froid pendant 3 heures.

Une fois le cheesecake bien pris, découpez-le en huit parts égales et recouvrez chaque part de garniture aux fruits.

225 calories, 4 g de lipides, 19 g de glucides, 30 g de protéines, 9 g de sucre (par part).

POUR 8 PORTIONS

Sucettes glacées vanille-pêche

INGRÉDIENTS

75 g de pêches,
coupées en dés

140 g de yaourt à la
grecque saveur
vanille, allégé en
matières grasses

RECETTE

Mixez les pêches dans un blender jusqu'à obtenir une purée bien lisse. Versez le mélange dans un saladier et ajoutez le yaourt. Tournez une ou deux fois à l'aide d'une cuillère en bois, puis versez le tout dans des moules à esquimaux (ou à glaçons) et faites prendre toute la nuit au congélateur.

67 calories, 2 g de lipides, 10 g de glucides,
8 g de protéines, 9 g de sucre (par sucette).

POUR 8 SUCETTES GLACÉES

Chips de tortillas et salsa fruitée

INGRÉDIENTS

POUR LA SALSA

5 fraises bien mûres,
coupées en dés

1 mangue, coupée
en dés

1 concombre,
coupé en dés

1 petit piment vert,
épépiné et haché

1 cuil. à soupe de jus
de citron vert

1 cuil. à soupe de
feuilles de menthe
fraîche, hachées

POUR LES CHIPS

2 tortillas au blé
complet, coupées
en 8 parts chacune

1 filet d'huile d'olive

RECETTE

Pour la salsa : versez tous les ingrédients dans un
cul de poule et mélangez délicatement. Couvrez et
réservez au réfrigérateur.

Pour les chips : préchauffez le four à 180 °C (th. 6).
À l'aide d'un pinceau, badigeonnez légèrement
les tortillas d'huile d'olive, sur les deux faces.
Déposez-les sur une plaque à four ou une feuille de
papier sulfurisé (sans qu'elles se chevauchent) et
enfournez 14 minutes en les retournant à mi-cuisson.
À la sortie du four, vos chips doivent être dorées et
croustillantes. Laissez-les refroidir, puis servez-les
accompagnées de salsa aux fruits.

89 calories, 6 g de lipides, 26 g de glucides,
1 g de protéines, 17 g de sucre pour la salsa et
150 calories, 4 g de lipides, 24 g de glucides,
6 g de protéines, 0 g de sucre pour 8 chips.

POUR 2 PORTIONS

Légumes croquants et leur sauce aux fines herbes

INGRÉDIENTS

POUR LA SAUCE

60 g de yaourt à la grecque allégé en matières grasses

1 cuil. à soupe de persil, haché

2 cuil. à café de ciboulette, hachée

1 cuil. à café d'aneth, haché

½ gousse d'ail, hachée

50 g de légumes de saison, coupés en rondelles ou en bâtonnets

RECETTE

Mélangez tous les ingrédients (sauf les légumes) dans un cul de poule et dégustez en trempant les bâtonnets de légumes dans la sauce obtenue.

80 calories, 0 g de lipides, 6 g de glucides, 15 g de protéines, 6 g de sucre.

POUR 1 PORTION

Le petit mot de Cassey

Pourquoi les femmes ne sont jamais aussi sexy que lorsqu'elles ont confiance en elles ?

La beauté extérieure est subjective, la preuve par exemple dans les concours de beauté où les juges ne votent jamais à l'unanimité pour la même participante. **La beauté intérieure, en revanche, est indéniable**. Elle s'exprime à travers la confiance en soi, la bonté d'âme et la santé. Qu'y a-t-il de plus charmant qu'une femme dont le sourire vous transporte ? Pas besoin d'avoir une taille de guêpe ou des pommettes parfaitement dessinées pour être considérée comme séduisante. De fait, ce que pensent les autres n'a aucune incidence, à partir du moment où vous êtes **convaincue de votre potentiel**.

Lors d'une soirée mondaine, il m'est arrivé de croiser une femme habillée en treillis et vieux polo, pas maquillée et les cheveux en bataille, alors que toutes les autres étaient en robe de cocktail et en escarpins. J'ai mis un point d'honneur à aller lui parler. Quand elle a ouvert la bouche, j'ai été immédiatement conquise par son esprit aventureux, sa créativité et son dynamisme contagieux.

La confiance en soi est ce qu'il y a de plus sexy chez une femme et on peut l'arborer au quotidien, quelle que soit la saison ou la mode du moment ! Cultivez vos atouts, brillez par votre intelligence et assumez ce que vous êtes. Vous serez ainsi un modèle d'élégance et de beauté.

♡ Cassey

Les menus minceur spécial été

LUNDI	MARDI	MERCREDI	JEUDI
Petit déjeuner Œufs brouillés aux légumes : 4 blancs d'œufs brouillés avec 100 g de légumes au choix	**Petit déjeuner** Pain perdu végétalien (*p. 134*)	**Petit déjeuner** Céréales à haute teneur en fibres avec du lait d'amande sans sucre ajouté et 2 cuil. à soupe de graines de lin moulues	**Petit déjeuner** 4 blancs d'œufs, 2 rondelles de tomate, 1 tranche de pain complet
Collation 1 petite banane, 1 cuil. à soupe de purée d'amandes	**Collation** 15 amandes	**Collation** Chips de tortillas et salsa fruitée (*p. 141*)	**Collation** Chips de tortillas et salsa fruitée (*p. 141*)
Déjeuner Salade estivale, vinaigrette à l'avocat (*p. 137*)	**Déjeuner** Salade sucrée-salée : 6 poignées de pousses d'épinard, 50 g de fraises émincées, 8 noix et 1 nectarine émincée, assaisonnés avec 2 cuil. à café de vinaigre de cidre, 1 cuil. à café d'huile d'olive et 1 cuil. à café de miel	**Déjeuner** Sandwich mimosa (sans œufs) (*p. 136*)	**Déjeuner** Salade de quinoa : 100 g de quinoa cuit, 2 cuil. à soupe bombées de haricots rouges en boîte, ¼ de poivron rouge haché, 6 poignées d'épinards hachés
Collation 1 portion de fromage (30 g) allégé en matières grasses		**Collation** 1 petite banane, 1 cuil. à soupe de purée d'amandes	**Collation** Yaourt à la grecque allégé en matières grasses (200 g), nature ou avec 1 cuil. à café de sirop d'agave
Dîner Salade méditerranéenne au quinoa : 100 g de quinoa cuit mélangé avec 1 petite betterave rôtie, 1 concombre, 30 g de feta émiettée, 1 cuil. à soupe de basilic et 1 cuil. à soupe de vinaigre balsamique	**Collation** Légumes croquants et leur sauce aux fines herbes (*p. 142*)	**Dîner** Les restes de la pizza sans pâte aux figues et au romarin de la veille (*p. 135*)	**Dîner** Poulet aux haricots verts et aux amandes : 1 filet de poulet (115 g) cuit et 85 g de haricots verts revenus à la poêle avec 10 amandes effilées
	Dîner Pizza sans pâte aux figues et au romarin (*p. 135*)		

Les recettes suivies d'un folio sont détaillées dans ce livre aux pages correspondantes ;
quant aux autres, elles sont si simples que vous pourrez les réaliser en un tour de main !

VENDREDI	SAMEDI	DIMANCHE
Petit déjeuner Céréales à haute teneur en fibres avec du lait d'amande sans sucre ajouté et 2 cuil. à soupe de graines de lin moulues	**Petit déjeuner** 2 blancs d'œufs brouillés, 60 g de filet de dinde à teneur réduite en sel, 30 g de mozzarella, 1 muffin anglais au blé complet	**Petit déjeuner** Pancakes à la compotée de fruits rouges (*p. 133*)
Collation ½ avocat, 1 cuil. à café de jus de citron	**Collation** 2 poignées de fruits rouges, 10 amandes	**Collation** 115 g de fromage frais, 1 nectarine coupée en cubes
Déjeuner Tartine de poulet au curry : 1 filet de poulet (115 g) cuit coupé en cubes, mélangé avec 2 cuil. à soupe de yaourt à la grecque allégé en matières grasses, ½ pomme coupée en dés, ½ cuil. à café de curry, servi sur 1 tranche de pain grillé et parsemé de ½ avocat coupé en dés	**Déjeuner** Salade de quinoa : 100 g de quinoa cuit, 1 filet de poulet (115 g) cuit coupé en dés, 6 poignées de mesclun haché, 25 g de maïs, 1 tomate coupée en dés	**Déjeuner** Salade composée : 200 g de crudités ou de salade au choix, 1 filet de poulet (115 g) cuit coupé en cubes, assaisonnés avec une vinaigrette (1 cuil. à soupe de vinaigre balsamique, 1 cuil. à café d'huile d'olive, ½ cuil. à soupe de moutarde de Dijon)
Collation 1 pêche ou nectarine	**Collation** Légumes croquants et leur sauce aux fines herbes (*p. 142*)	**Collation** 10 bâtonnets de carotte, 50 g d'houmous
Dîner Tofu sauce piquante : cubes de tofu revenus à la poêle avec 200 g de légumes d'été émincés, 1 cuil. à soupe de sauce soja et 1 cuil. à café de sauce Sriracha (ou autre sauce piquante), le tout servi avec 50 g de quinoa cuit	**Dîner** Tacos au bœuf : 85 g de viande de bœuf maigre revenue avec ½ gousse d'ail hachée, 1 pincée de cumin et 1 pincée de piment d'Espelette ; le tout enroulé dans 1 feuille de laitue garnie de yaourt à la grecque allégé en matières grasses et de légumes cuits taillés en lamelles	**Dîner** Mille-feuille mexicain à l'aubergine (*p. 138*)

AUTOMNE

L'automne

Rester concentrée et gérer le changement de saison

Ce que j'aime le plus en automne, ce sont les feuilles aux mille couleurs, l'odeur du potiron et de la cannelle ; pas vous ? Le plaisir de s'emmitoufler dans un gros pull tout doux, de voir les arbres de sa rue changer de teinte, ça n'a pas de prix ! Mais l'automne, c'est aussi l'heure de la rentrée : les devoirs, le stress des examens, les nouvelles matières à aborder, voilà qui peut vite vous faire perdre les pédales, surtout si vous essayez simultanément de surveiller votre alimentation et de rester régulière dans vos entraînements.

De même, si vous êtes déjà dans la vie active, vous avez sûrement remarqué qu'avec la baisse des températures, vous avez tendance à passer plus de temps à l'intérieur. Mais ne succombez pas à la tentation ! Ce n'est pas encore l'hiver et vous n'avez donc aucune raison valable de rester cloîtrée toute la journée. Pourquoi ne pas vous organiser de petites promenades digestives pour prendre l'air après dîner ? Vous pouvez même demander à une amie de vous accompagner, si vous voulez ! Il n'y a rien de tel qu'un peu d'air frais et d'exercice pour décompresser après une longue journée.

MES EXERCICES D'AUTOMNE

Ce qui est merveilleux quand on fait du sport et que l'on mange sainement, c'est que notre cerveau gagne en réactivité et que notre capacité de concentration augmente. Vous verrez que vous n'aurez jamais les idées aussi claires qu'après une petite séance de sport matinale et un bon petit déjeuner équilibré. En stimulant votre métabolisme dès le réveil, vous aurez également beaucoup plus d'énergie disponible pour affronter la journée.

C'est vrai, les belles journées d'été baignées de soleil sont derrière nous maintenant, mais ce n'est pas une raison pour tirer un trait sur tous les efforts que vous avez fournis pour être radieuse en bikini ! C'est bien connu, à l'arrivée de l'automne, il n'y a pas que les feuilles d'arbre et les températures qui chutent : notre bronzage commence à peler et le moral tombe souvent dans les chaussettes… Ce trouble de l'humeur appelé dépression saisonnière ou trouble affectif saisonnier résulte de la diminution des heures d'ensoleillement et provoque une baisse d'énergie et de motivation. Ne niez pas ces sentiments, acceptez-les, mais ne vous laissez pas abattre pour autant ! Au contraire, pourquoi ne pas profiter de l'air frais pour stimuler le feu qui vous anime à l'intérieur !

SÉANCE D'ENTRAÎNEMENT N° 1 : UNE TAILLE DE GUÊPE

À mes yeux, il n'y a pas de meilleur exercice pour affiner la taille que la Flamme au vent ! Rien de tel pour éliminer le bourrelet disgracieux laissé par les confitures de mamie et les chocolats viennois pris avec les copines à l'arrivée de l'automne.

LA FLAMME AU VENT × 15 DE CHAQUE CÔTÉ
RENFORCE : LES OBLIQUES

A Mettez-vous à genoux et tendez la jambe gauche sur le côté. Votre pied gauche doit être à plat, les orteils tournés vers l'avant. Joignez les mains puis tendez les bras au-dessus de la tête. Si vous débutez, écartez plutôt les bras à l'horizontale, comme pour faire l'avion.

B Inspirez en étirant vos obliques aussi loin que possible de votre jambe gauche. Dans l'idéal, essayez de placer votre haut du corps parallèlement au sol. Expirez en revenant en position initiale. Votre buste et vos hanches doivent rester de face tout au long de l'exercice.

LE TIRE-BOUCHON TRIANGULAIRE × 6 DANS UN SENS ET 6 DANS L'AUTRE

RENFORCE : LE BAS DES ABDOMINAUX, LES QUADRICEPS

A Asseyez-vous et penchez-vous en arrière pour prendre appui sur les coudes, comme quand vous prenez un bain de soleil. Tendez les jambes vers l'avant et décollez-les du tapis. Répartissez votre poids du corps entre votre coccyx et vos genoux.

B Avec vos orteils, dessinez un triangle en gardant les jambes jointes et bien tendues.

LE RELEVÉ DE BUSTE AVEC UNE JAMBE TENDUE × 12 POUR CHAQUE JAMBE
RENFORCE : LES ABDOMINAUX, LES QUADRICEPS

A Allongée sur le dos, croisez les mains derrière la nuque et écartez les coudes. Décollez la jambe gauche de quelques centimètres et tendez-la fermement.

B Expirez en effectuant un relevé de buste. Votre jambe gauche ne doit pas toucher le tapis et rester bien stable. Inspirez en revenant lentement en position initiale.

LE TREMBLEMENT DE TERRE AVEC FLEXION DU BUSTE × 20
RENFORCE : LES OBLIQUES, LA SANGLE ABDOMINALE

A Asseyez-vous le dos bien droit, les talons joints, les jambes et les bras tendus vers l'avant. Penchez-vous en arrière aussi loin que possible en résistant à la gravité uniquement par la force de votre sangle abdominale. Si vous débutez, vous pouvez plier les genoux et arrondir légèrement le bas du dos comme pour faire un Roll down.

B Reculez le coude gauche et jusqu'à ce qu'il vienne toucher le tapis. Revenez en position initiale, puis faites de même avec le droit.

LE MÉTRONOME × 12

RENFORCE : LE BAS
DES ABDOMINAUX,
L'INTÉRIEUR DES CUISSES

A Allongée sur le dos, la tête au sol,
placez vos mains en triangle juste sous
votre coccyx et plaquez le bas du dos contre
le tapis. Levez les jambes à la verticale et
fléchissez les pieds en gardant les talons
serrés l'un contre l'autre.

B Inspirez et tapez 4 fois vos talons l'un
contre l'autre tout en abaissant vos
jambes jusqu'à ce qu'elles soient quasiment
parallèles au sol. Revenez en position
initiale en expirant et en claquant à nouveau
4 fois vos talons sur la remontée. Voilà qui
constitue 1 répétition ; il vous en faut 12 !

LA PLANCHE AVEC ROTATION ET LEVÉ DE BASSIN × 12
RENFORCE : LES OBLIQUES, LES ÉPAULES

A Placez-vous en position de Planche en appui sur les coudes et les orteils. Vos fessiers doivent être dans le même alignement que vos épaules et vos genoux – ne laissez pas vos hanches s'affaisser vers le sol !

B Effectuez une rotation du bassin vers la gauche de manière à ce que votre hanche droite vienne toucher le tapis. Faites de même dans l'autre sens, puis revenez au centre et poussez les fesses vers le ciel avant de revenir en Planche.

Une tendance au grignotage ?

La prochaine fois que vous vous surprenez à grignoter entre les repas, réfléchissez à ce que vous étiez en train de faire avant de vous diriger vers le frigo. La plupart du temps, ce n'est pas la faim qui nous pousse à grignoter, mais l'ennui ou une situation qu'on cherche à éluder, une obligation qu'on aimerait repousser. Dans ces cas-là, optez plutôt pour un grand verre d'eau.

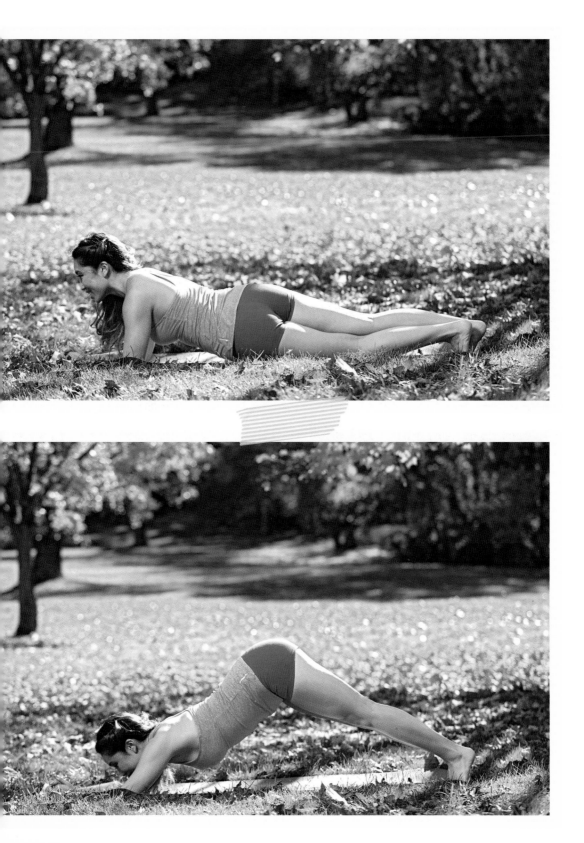

SÉANCE D'ENTRAÎNEMENT N° 2 : QUAND LES FEUILLES TOMBENT, LES FESSES REMONTENT !

Pour tonifier intégralement votre postérieur, il vous faudra travailler certes les fessiers mais aussi les ischio-jambiers. Personnellement, je m'applique à les garder bien toniques avec des exercices comme le Marteau-piqueur. Essayez, vous verrez comme c'est efficace ! Puis imaginez-vous en Polynésie et balancez vos hanches en faisant la Vahiné : vos fessiers et vos obliques n'ont qu'à bien se tenir !

LE MARTEAU-PIQUEUR × 12 POUR CHAQUE JAMBE
RENFORCE : LES QUADRICEPS, LES FESSIERS

A Pliez votre genou droit comme pour effectuer un squat sur une jambe. Fléchissez le pied gauche et décollez-le du tapis. Dans cette position, collez vos deux genoux l'un contre l'autre.

B Tendez votre jambe gauche vers l'arrière, maintenez la position pendant 1 seconde, puis contractez les fessiers pour lever encore un peu plus la jambe avant de revenir en position initiale. Votre genou droit doit rester fléchi tout au long de l'exercice. Si vous débutez, n'hésitez pas à prendre appui sur un mur pour vous aider à garder l'équilibre.

LA VAHINÉ × 40
RENFORCE : LES HANCHES,
LES QUADRICEPS

A Mettez-vous à genoux, les mains sur les hanches et grandissez-vous.

B Poussez votre bassin vers le haut et déhanchez-vous vers la gauche, puis vers la droite.

LE T AVEC LEVÉ DE JAMBE × 15 POUR CHAQUE JAMBE
RENFORCE : LES FESSIERS, LES QUADRICEPS

A Tendez une jambe vers l'arrière et laissez votre buste basculer vers l'avant en écartant les bras comme si vous étiez sur le point de prendre votre envol. Si votre position est bonne, votre corps doit dessiner la lettre T.

B Fléchissez le pied et poussez votre talon vers le ciel en gardant bien les deux jambes tendues. À chaque montée du talon, contractez les fessiers et maintenez la position pendant 1 seconde.

L'EXTENSION DE LA HANCHE EN CHIEN TÊTE EN BAS × 15 POUR CHAQUE JAMBE
RENFORCE : LES FESSIERS, LES ISCHIO-JAMBIERS

A Placez-vous en position de Planche, en appui sur les orteils, les paumes alignées sous les épaules, le nombril aspiré vers la colonne et le plancher pelvien engagé. Poussez le bassin vers le ciel pour passer en position du Chien tête en bas.

B Levez la jambe droite à la verticale sans ouvrir la hanche, pointez vos orteils vers le ciel et effectuez de petits mouvements d'arrière en avant en poussant votre jambe vers votre dos.

L'EXTENSION DE LA HANCHE JAMBE FLÉCHIE
× 25 DE CHAQUE CÔTÉ
RENFORCE : LES FESSIERS

A Mettez-vous à quatre pattes, les mains alignées sous les épaules, les bras tendus et les genoux écartés à la largeur des hanches. Levez la jambe droite en gardant le genou plié à 90 ° et les orteils pointés vers le ciel.

B Poussez le genou vers le haut, maintenez la position puis serrez les fessiers avant de revenir en position initiale.

Halte aux comparaisons !

Vous comparer aux autres ne peut rien vous apporter de bon. Même si vous êtes toutes deux des êtres humains, vous et votre voisine n'avez rien de comparable : vous êtes deux personnes différentes avec un passif différent et des objectifs différents. Appliquez-vous au quotidien à devenir la meilleure version de vous-même, sans vous préoccuper de la façon dont les autres mènent leur barque. En vous concentrant sur vous plutôt que sur eux, vous atteindrez vos objectifs et vous vous épanouirez bien plus vite ! Faites-vous confiance et ayez foi en vos capacités !

L'EXTENSION DE LA HANCHE JAMBE TENDUE × 20 DE CHAQUE CÔTÉ
RENFORCE : LES FESSIERS, LES ISCHIO-JAMBIERS

A En appui sur les avant-bras et les genoux, levez la jambe gauche et poussez le talon vers le ciel.

B Descendez la jambe puis remontez-la vers le ciel, en gardant toujours le pied fléchi.

SÉANCE D'ENTRAÎNEMENT N° 3 : DES JAMBES DE RÊVE

Investissez d'ores et déjà dans un jean moulant et des talons vertigineux parce que, grâce à cette séance d'entraînement, vos jambes feront tourner les têtes cet automne. Commencez par l'exercice du Squat papillon pour solliciter gentiment vos mollets et vos cuisses, puis passez la vitesse supérieure avec les Minicercles debout : la récompense n'en sera que plus grande !

LE SQUAT PAPILLON × 10
RENFORCE : L'INTÉRIEUR ET L'EXTÉRIEUR DES CUISSES, LES MOLLETS

A Debout, les mains sur les hanches, positionnez vos pieds en diagonale et montez sur les demi-pointes en gardant les talons collés l'un à l'autre.

B Poussez vos genoux vers l'extérieur, revenez en position initiale puis descendez votre coccyx vers le bas comme pour faire un squat en poussant vos genoux vers l'extérieur à 4 reprises sur la descente. Remontez lentement en poussant à nouveau vos genoux 4 fois vers l'extérieur. Vous venez d'effectuer 1 répétition.

LE BOLIDE × 15
POUR CHAQUE JAMBE
RENFORCE : LES QUADRICEPS,
LES FESSIERS

A Commencez par effectuer un squat sur une jambe (la droite) et ramenez votre genou gauche vers votre buste, le pied fléchi.

B Expirez en poussant votre pied gauche vers l'avant, les orteils pointés vers le haut, comme si vous appuyiez sur la pédale d'accélérateur de votre voiture. Inspirez en revenant en position initiale. Votre jambe d'appui doit rester fléchie en position de squat sur une jambe tout au long de l'exercice.

L'ATTITUDE × 15 POUR CHAQUE JAMBE
RENFORCE : LES FESSIERS, LES CUISSES, LE BAS DU DOS

A En appui sur la jambe gauche, ouvrez la cuisse et levez la jambe droite vers l'arrière. Courbez vos bras devant vous comme pour prendre un arbre dans vos bras. Relevez bien le menton et ouvrez les épaules.

B Poussez votre genou vers le haut, puis laissez-le revenir à l'horizontale. Vous venez de faire 1 répétition.

LE PONT × 25
RENFORCE : LES MOLLETS, LES ISCHIO-JAMBIERS, LES FESSIERS

A Allongée sur le dos, les bras le long du corps, poussez sur vos talons en fléchissant les pieds et en décollant les orteils pour soulever votre bassin et passer en position de pont. Votre poids du corps doit être réparti entre le haut de votre dos et vos talons.

B Abaissez votre bassin sans toucher le tapis pour autant, puis expirez en le poussant le plus haut possible vers le ciel. Maintenez la position en serrant les fessiers au maximum. Si vous voulez ajouter une difficulté supplémentaire, placez vos talons un peu plus loin de vos fesses.

LE T AVEC LEVÉ DE TALON × 12
POUR CHAQUE JAMBE
RENFORCE : LES MOLLETS,
LES QUADRICEPS

A Tendez une jambe vers l'arrière et laissez votre
buste basculer vers l'avant en écartant les bras
comme si vous étiez sur le point de prendre votre
envol. Pointez les orteils de la jambe en l'air vers
l'arrière et fléchissez le genou de la jambe d'appui,
comme pour descendre en squat sur une jambe.

B Montez sur les demi-pointes, puis redescendez,
sans jamais tendre votre jambe d'appui.

LES MINICERCLES DEBOUT × 10 DANS UN SENS ET 10 DANS L'AUTRE POUR CHAQUE JAMBE

RENFORCE : LES FESSIERS, L'INTÉRIEUR ET L'EXTÉRIEUR DES CUISSES

A Prenez appui sur une jambe et tendez l'autre loin derrière vous. Si vous avez du mal à garder l'équilibre, aidez-vous en prenant appui sur un mur ou le dossier d'une chaise.

B Contractez la sangle abdominale et, avec la jambe levée, dessinez des minicercles dans un sens, puis dans l'autre.

Rongée par le stress ?

Détendez-vous. Ce n'est pas en vous faisant un sang d'encre que les choses vont s'arranger. Libérez plutôt toute cette tension en pratiquant une activité que vous aimez. Personnellement, j'adore cuisiner, aller au marché, prendre des cours de danse et faire du sport : rien de tel pour me changer les idées et me faire redescendre en pression. La sensation de bien-être que génèrent ces activités est pour moi la meilleure thérapie contre le stress et l'anxiété.

SÉANCE D'ENTRAÎNEMENT N° 4 : SUBLIME EN ROBE DOS NU

Osez la robe dos nu pour vos dîners d'affaires et vos soirées habillées ! Cette séance est conçue pour vous aider à redessiner vos muscles dorsaux : à vous les décolletés qui plongent jusqu'aux reins ! Travaillez les épaules et les bras avec la Table basse et tonifiez votre dos avec le Nageur. Cerise sur le gâteau, cette séance vous permettra également de gagner en souplesse !

LA POMPE SUIVIE DE LA PLANCHE LATÉRALE × 12
RENFORCE : LE BUSTE, LES BRAS, LES ÉPAULES

A Mettez-vous en appui sur les paumes et les orteils (ou les genoux, si vous débutez) comme pour effectuer une Pompe. Inspirez en descendant le plus bas possible, et expirez en remontant.

B Décalez votre main gauche sous votre sternum et passez en Planche latérale en étirant le bras droit vers le ciel et en gardant les pieds côte à côte. Revenez en position initiale et enchaînez sur une nouvelle Pompe, suivie d'une Planche latérale.

LES MINIPOMPES PRISE LARGE
(EN APPUI SUR LES GENOUX) × 12
RENFORCE : LE BUSTE, LES BRAS

A En appui sur les genoux, venez placer vos mains à la même hauteur que vos épaules, de part et d'autre du tapis. Pliez les genoux à 90 ° et croisez les chevilles.

B Inspirez en descendant sur vos bras et effectuez 3 minipompes près du sol. Remontez en position initiale. Voilà pour la première répétition.

LA TABLE BASSE × 20
RENFORCE : LE HAUT DU DOS

A Allongée sur le dos, les genoux vers le ciel et les pieds à plat écartés à la largeur des hanches, prenez appui sur vos avant-bras et poussez sur vos pieds pour décoller le bassin et le dos du tapis.

B Levez le bras droit et tendez-le vers le ciel. Faites de même avec l'autre bras, puis revenez en position initiale.

LE NAGEUR - 30 SECONDES × 3
RENFORCE : LE HAUT ET LE BAS DU DOS

A Allongée à plat ventre, tendez les bras vers l'avant et les jambes vers l'arrière comme si vous vous apprêtiez à nager le crawl. Contractez les abdominaux et décollez le buste et les quadriceps du tapis.

B Levez le bras gauche et la jambe droite, puis le bras droit et la jambe gauche en alternant le plus vite possible pendant 30 secondes.

LE PARACHUTISTE × 20 À LA SUITE
RENFORCE : LE HAUT DU DOS

A Allongez-vous sur le ventre et décollez les quadriceps du tapis. Écartez les jambes à la largeur des hanches, décollez la poitrine et pliez les coudes de manière à ce qu'ils forment un angle droit.

B Tout en reculant les coudes jusqu'à ce que vos omoplates se touchent, contractez les abdominaux pour décoller tout le haut du corps et tapez vos talons l'un contre l'autre. Vous venez d'effectuer 1 répétition : il vous en faut 20 !

On vous a traitée de « grosse » ?

Ce type de remarques désobligeantes fait certes mal à l'ego, mais rappelez-vous que seuls les gens mal dans leur peau se permettent généralement ce genre de commentaires... Ainsi, ne laissez donc pas ces bassesses vous atteindre ; au fond, vous savez que vous valez plus que le chiffre qui s'inscrit sur la balance. Et, de toute façon, personne n'est pleinement satisfait de son physique alors, laissez couler...

FLEXION ET EXTENSION DES BRAS × 25
RENFORCE : LES ÉPAULES, LES DORSAUX

A Asseyez-vous dans une position confortable et grandissez-vous. Tendez les bras sur les côtés, les paumes tournées vers le sol.

B Expirez en ramenant les coudes vers l'arrière et en tournant les paumes vers le ciel. Dans le même temps, serrez les poings et contractez les trapèzes et les dorsaux. Inspirez en revenant en position initiale.

SÉANCE D'ENTRAÎNEMENT N° 5 : FULL BODY (BRÛLE-GRAISSES)

Ça y est ! C'est l'heure de votre séance spéciale silhouette ! Restez bien concentrée et ne baissez pas les bras – ces exercices sont particulièrement intenses. Travaillez la sangle abdominale et l'équilibre avec la Planche niveau expert avec touche-orteils et faites monter votre rythme cardiaque grâce au Roll up avec étirement vers le ciel. Enfin, passez en mode furtif avec l'exercice du Soldat (mon préféré !) – *tout le monde à plat ventre et rampez !*

LA PLANCHE NIVEAU EXPERT AVEC TOUCHE-ORTEILS × 10
RENFORCE : LA SANGLE ABDOMINALE, LE BUSTE, LES ÉPAULES

A Placez-vous en position de Planche en appui sur les orteils, les mains alignées sous les épaules, bras tendus.

B En gardant le regard horizontal et les hanches face au tapis, levez la jambe gauche et le bras droit, puis passez le bras derrière vous et essayez d'attraper vos orteils. Faites de même avec la jambe droite et le bras gauche : voilà qui constitue 1 répétition.

LE ROLL UP AVEC ÉTIREMENT VERS LE CIEL × 12
RENFORCE : LE CARDIO,
LE BAS DU CORPS

A Allongée sur le dos, les bras au-dessus de la tête, croisez les jambes comme quand vous vous asseyez en tailleur.

B Expirez en enroulant votre colonne et en pivotant les bras vers l'avant jusqu'à vous tenir debout, jambes croisées et bras tendus vers le ciel. Enroulez lentement votre colonne et fléchissez les genoux pour revenir en position initiale. Si vous débutez, vous pouvez prendre appui sur vos mains pour vous lever.

LA FENTE LATÉRALE
AVEC TOUCHE-ORTEILS × 12
DE CHAQUE CÔTÉ
RENFORCE : L'INTÉRIEUR
DES CUISSES

A Joignez vos mains devant vous et tenez-vous debout, le dos bien droit. Déplacez la jambe droite vers l'extérieur et descendez en squat en gardant la jambe gauche tendue. Ne creusez pas le dos, gardez le buste haut et droit.

B En gardant la jambe gauche tendue, poussez sur le pied droit pour remonter à la verticale et croisez la jambe droite derrière vous pour venir toucher les doigts de votre main gauche avec vos orteils. Répétez 12 fois ce mouvement, puis changez de côté et faites à nouveau 12 répétitions.

LE SOLDAT × 20
RENFORCE : LES OBLIQUES, LA SANGLE ABDOMINALE

A Placez-vous en position de Planche en appui sur les orteils et les coudes. Attention à ne pas laisser le bassin s'affaisser vers le sol. Si vous débutez, vous pouvez prendre appui sur vos genoux plutôt que sur vos pieds.

B Ramenez votre genou gauche vers votre coude, maintenez la position, puis revenez en Planche. Faites de même avec le genou droit pour obtenir 1 répétition.

L'ÉVEIL DE LA GRENOUILLE × 15
RENFORCE : L'INTÉRIEUR DES CUISSES, LES ABDOMINAUX

A Allongée sur le dos, les bras au-dessus de la tête, fléchissez les pieds, serrez les talons l'un contre l'autre et montez les genoux à l'équerre au-dessus des hanches.

B Expirez en poussant les talons vers l'avant jusqu'à ce que vos jambes soient tendues et serrées l'une contre l'autre. Dans le même temps, effectuez un relevé de buste en ramenant vos bras vers l'avant. Inspirez en enroulant lentement la colonne pour revenir en position initiale.

LE LEVÉ DE JAMBE ALTERNÉ × 20
RENFORCE : LE BAS DES ABDOMINAUX

A Croisez les mains derrière la nuque et écartez les coudes. Décollez la tête, le cou et les épaules et regardez loin devant vous (Position de base). Levez les jambes à la verticale, les orteils pointés vers le ciel.

B Inspirez en abaissant la jambe droite jusqu'à ce qu'elle soit parallèle au sol. Expirez en la remontant. Faites de même avec la jambe gauche. Cet enchaînement constitue 1 répétition.

Le petit mot de Cassey

Si on ne vous croit pas capable de faire quelque chose, faites-le.

Vous êtes-vous déjà sentie plus bas que terre parce que personne autour de vous ne s'intéressait à vos projets, vos passions, à vous ? Moi, oui. J'ai fait des pieds et des mains pour contenter mon entourage et faire ce qu'on attendait de moi plutôt que de me concentrer sur mes propres envies et ambitions. À force de me plier à l'image que les autres avaient de moi, j'ai fini par me perdre et par devenir la personne qu'ils décrivaient. Mais rassurez-vous, ce mécanisme ne peut durer qu'un temps.

Au bout d'un moment, ces chaînes psychologiques deviennent si lourdes que vous n'avez plus d'autre choix que de les briser et, à partir de là, plus aucun avis extérieur ne peut vous toucher. Mais alors comment faire ?

La première étape consiste à ne plus côtoyer les personnes en question. Éloignez-vous autant que possible d'elles et des commentaires nocifs qu'elles émettent à votre égard. Les remarques désobligeantes et les regards condescendants peuvent avoir un effet dévastateur sur la confiance en soi, qui est pourtant l'un des piliers de notre existence : il faut donc en prendre soin !

Si ces personnes font partie de votre famille et que vous ne pouvez pas faire autrement que d'évoluer physiquement dans le même environnement qu'elles, il vous faudra ériger un bouclier mental pour éviter que leur opinion sur vous ne

vienne compromettre votre bien-être psychologique. Intégrez bien l'idée que l'**on vit pour soi** et pour les gens qui nous aiment telles que nous sommes, pas pour les autres. Ne laissez plus jamais personne saboter vos rêves, vos espoirs ou votre confiance en vous. Au contraire, faites de cette énergie négative un moteur et utilisez leurs doutes comme une raison supplémentaire d'atteindre vos objectifs. La surprise n'en sera que plus belle.

Vous pouvez tout réussir, à partir du moment où vous vous donnez à fond ; n'en doutez pas. Qu'il s'agisse de perdre du poids, d'augmenter vos performances sportives, d'intégrer l'école de vos rêves ou de lancer votre entreprise, rien ne peut vous arrêter. Tout est possible, et ce ne sont pas les preuves vivantes qui manquent ! Dressez la liste de vos objectifs, gardez-la toujours près de vous et relisez-la chaque matin.

La seule personne indispensable à votre ascension, c'est vous. Alors lancez-vous. Vous le méritez.

♡ Cassey

MES PETITS PLATS D'AUTOMNE

En automne, il n'y a pas que les arbres qui changent, les fruits et les légumes aussi ! Pour manger sain, il faut savoir tirer profit de tout ce que la terre nous offre et c'est pourquoi, à l'automne, les légumes-racines, les choux et les courges ainsi que les fruits de l'arrière-saison comme les pommes et poires font leur entrée dans mon alimentation. Cependant, plutôt que de consommer les fruits et légumes tels quels comme je le fais dans mes salades estivales par exemple, je cherche à les réinventer, à jouer sur les textures comme avec le chou-fleur façon couscous (*p. 185*) que je passe au mixeur jusqu'à ce qu'il ait la consistance de la semoule : rien de tel pour rester motivée et garder l'envie de cuisiner. De plus, comme le fond de l'air commence à fraîchir, j'opte pour des plats qui se cuisinent au four, comme le poulet du dimanche avec ses choux de Bruxelles rôtis (*p. 195*) – miam ! – qui apportent, par la même occasion, une douce chaleur dans toute la maison.

Mon panier de saison

Légumes
Bettes
Brocoli
Chou-fleur
Chou de
    Bruxelles
Courge butternut
Daïkon (radis
    blanc japonais)
Endive
Frisée

Kale
Laitue
Patate douce
Piment
Potimarron
Potiron
Radicchio
    (trévise)
Radis
Roquette

Fruits
Cranberry
Grenade
Kumquat
Nashi (poire
    asiatique)
Poire
Pomme
Raisin

Mini-pancakes pomme-noix

INGRÉDIENTS

½ banane

3 blancs d'œufs

½ pomme, râpée ou coupée en julienne

30 ml de lait d'amande à la vanille sans sucre ajouté ou de lait écrémé

1 cuil. à café de cannelle en poudre

1 belle pincée de noix muscade

1 cuil. à soupe de graines de lin moulues

1 filet d'huile

1 cuil. à soupe noix, hachées finement

RECETTE

Dans un saladier, écrasez la banane avec le dos d'une fourchette. Ajoutez tous les autres ingrédients – sauf les noix – et mélangez bien.

Faites chauffer une crêpière antiadhésive avec un filet d'huile. Versez 1 louche de pâte dans la poêle : laissez cuire jusqu'à l'apparition de petites bulles dans la pâte (soit entre 30 secondes et 1 minute), puis retournez le pancake et poursuivez la cuisson encore 20 à 30 secondes. Répétez l'opération jusqu'à épuisement de la pâte.

Parsemez de brisures de noix et servez.

272 calories, 12 g de lipides, 29 g de glucides, 19 g de protéines, 17 g de sucre (par pancake).

POUR 1 PORTION

Porridge à la patate douce

INGRÉDIENTS

¹/₃ de patate douce,
pelée et coupée en
cubes de 1 cm de côté

25 g de flocons d'avoine

185 à 250 ml de lait
d'amande à la vanille
sans sucre ajouté

1 cuil. à soupe de
graines de lin
moulues

1 cuil. à café
de cannelle
en poudre

1 cuil. à soupe de sirop
d'érable

RECETTE

Déposez la patate douce dans un petit récipient
adapté à la cuisson au micro-ondes et faites-la cuire
à puissance maximale de 3 à 4 minutes. Écrasez-la
grossièrement avec le dos d'une fourchette.
Versez les flocons d'avoine, le lait d'amande, les
graines de lin et la purée de patate douce dans une
casserole de taille moyenne et portez quasiment à
ébullition. Juste avant le premier bouillon, baissez le
feu et laissez mijoter 10 minutes à couvert (en fin de
cuisson, le porridge doit être bien crémeux).
Incorporez la cannelle et le sirop d'érable, et servez
aussitôt.

288 calories, 6 g de lipides, 51 g de glucides,
7 g de protéines, 19 g de sucre.

POUR 1 PORTION

Semoule de chou-fleur façon couscous

INGRÉDIENTS

- 50 g de sommités de chou-fleur grossièrement hachées
- 1 cuil. à café d'huile d'olive
- 50 g de courgette coupée en dés
- 1 carotte, râpée
- 100 g de pois chiches en boîte, égouttés et rincés
- 1 belle pincée de cumin
- 1 belle pincée de coriandre en poudre
- ½ cuil. à café de gingembre frais, râpé
- 80 ml de bouillon de légumes à teneur réduite en sel
- 1 cuil. à soupe de raisins blonds
- 6 poignées d'épinards frais, hachés

RECETTE

Mixez le chou-fleur jusqu'à obtenir une semoule grossière.

Faites chauffer une sauteuse antiadhésive à feu moyen-vif avec un filet d'huile d'olive, puis ajoutez la courgette, la carotte, les pois chiches, le cumin, la coriandre et le gingembre. Faites revenir les légumes jusqu'à ce qu'ils soient tendres (env. 3 minutes). Mouillez avec le bouillon et ajoutez les raisins. Baissez le feu et laissez mijoter 3 minutes. Ajoutez les épinards, la semoule de chou-fleur et laissez cuire encore 2 minutes, le temps que les feuilles d'épinard fanent légèrement.

323 calories, 7 g de lipides, 60 g de glucides, 11 g de protéines, 17 g de sucre.

POUR 1 PORTION

Curry de butternut

INGRÉDIENTS

1 cuil. à café d'huile
d'olive

2 cuil. à soupe d'oignon
rouge haché

1 gousse d'ail, hachée

½ cuil. à café de
gingembre en poudre

½ cuil. à café de curry

50 g de courge
butternut, pelée et
coupée en cubes de
2,5 cm

60 ml de lait de coco
allégé

250 ml de bouillon
de légumes

40 g de pois chiches
en boîte, égouttés
et rincés

¼ de poivron rouge,
épépiné coupé en
cubes de 2,5 cm

4 poignées de kale,
haché et débarrassé
de ses parties
ligneuses

1 cuil. à café de jus
de citron (frais)

Sel

Poivre

1 cuil. à soupe de
coriandre hachée

RECETTE

Faites chauffer l'huile à feu moyen dans une cocotte.
Faites revenir l'oignon et l'ail 2 minutes en mélangeant
régulièrement. Ajoutez le gingembre et le curry, puis
la courge butternut et laissez cuire 2 minutes.
Mouillez avec le lait de coco et le bouillon de légumes
et portez le tout à ébullition. Baissez le feu et laissez
mijoter 10 minutes à couvert.
Ajoutez ensuite les pois chiches et le poivron rouge et
laissez cuire encore 5 minutes.
Enfin, ajoutez le kale, le jus de citron, salez et poivrez.
Prolongez la cuisson encore 2 à 3 minutes, le temps
que les feuilles de kale s'attendrissent, puis parsemez
de coriandre et servez.

271 calories, 12 g de lipides, 38 g de glucides,
8 g de protéines, 5 g de sucre.

POUR 1 PORTION

Parfait banane-noix de pécan

INGRÉDIENTS

- 1 cuil. à café d'huile de coco
- 1 cuil. à soupe de noix de pécan, grossièrement hachées
- ½ cuil. à soupe de sirop d'érable ou de sirop d'agave
- 1 banane bien mûre, coupée en rondelles et préalablement placée au congélateur

RECETTE

Faites chauffer l'huile à feu moyen dans une petite poêle. Ajoutez les noix de pécan et laissez-les dorer 2 minutes. Ajoutez le sirop d'érable, laissez chauffer un instant tout en remuant, puis retirez du feu. Dans un blender, mixez la banane de 2 à 3 minutes, en raclant les bords de temps en temps. Versez le parfait à la banane dans une coupe à glace et arrosez de sirop aux noix de pécan.

268 calories, 15 g de lipides, 35 g de glucides, 3 g de protéines, 21 g de sucre.

POUR 1 PORTION

Poire pochée au sirop d'érable et à la cannelle

INGRÉDIENTS

- 1 cuil. à soupe de sirop d'érable
- ½ cuil. à café de cannelle en poudre
- 80 ml de lait d'amande à la vanille sans sucre ajouté
- 1 poire Bosc
- 1 boule de crème glacée à la banane (facultatif)

RECETTE

Préchauffez le four à 200 °C (th. 6-7).

Dans un cul de poule, délayez le sirop d'érable et la cannelle dans le lait d'amande. Versez les trois quarts du mélange dans un petit plat en Pyrex et disposez la poire au centre.

Versez le reste du liquide directement sur le fruit et enfournez jusqu'à ce que la poire soit fondante (env. 40 minutes), en l'arrosant toutes les 10 minutes. Servez-la telle quelle ou avec une boule de glace banane.

160 calories, 1 g de lipides, 38 g de glucides, 1 g de protéines, 28 g de sucre.

POUR 1 PORTION

Bouchées énergétiques au riz soufflé

INGRÉDIENTS

- 75 g de beurre de cacahuète allégé en matières grasses
- 80 ml de sirop d'agave
- 250 g de riz complet soufflé (en magasin bio)
- 30 g d'amandes, hachées
- 1 poignée de cranberries séchées

RECETTE

Préparez des moules à muffins en les tapissant chacun d'une caissette en papier.

Dans une grande casserole, faites chauffer à feu doux le beurre de cacahuète et le sirop d'agave environ 5 minutes sans cesser de remuer.

Une fois le mélange bien lisse et homogène, retirez du feu au premier frémissement. Ajoutez le riz soufflé, les brisures d'amandes et les cranberries, et mélangez délicatement.

Versez la préparation dans les moules à muffins, et réservez jusqu'à refroidissement complet.

113 calories, 5 g de lipides, 16 g de glucides, 3 g de protéines, 7 g de sucre (par bouchée).

POUR 10 BOUCHÉES

Boules coco maxi-énergie

INGRÉDIENTS

125 g de noix

5 dattes dénoyautées

1 cuil. à soupe de noix
de coco, râpée et
torréfiée

RECETTE

Mixez les noix et les dattes dans un robot jusqu'à
obtenir une pâte homogène. Façonnez 5 boules
d'environ 2,5 cm de diamètre. Enrobez les boules de
noix de coco râpée et laissez prendre au frais pendant
au moins 1 heure.

170 calories, 15 g de lipides, 10 g de glucides,
3.4 g de protéines, 6 g de sucre (par boule).

POUR ENVIRON 5 BOULES

Le petit mot de Cassey

Pourquoi il n'y a pas de mal à se faire plaisir et pourquoi la culpabilité ne mène nulle part ?

Ne laissez pas un petit écart vous détourner de votre objectif. Reprenez les choses en main et filez droit vers votre but. Après tout, n'est-ce pas à l'envie d'aller coûte que coûte de l'avant que l'on reconnaît la force de caractère ? Personnellement, c'est ce que j'appelle la ténacité.

Combien de fois me suis-je sentie désemparée et frustrée quand, après un mois de dur labeur, les résultats que j'avais obtenus se sont vu réduits à néant par une toute petite semaine de vacances ? En faut-il si peu pour balayer tous mes efforts ? C'est désespérant et décourageant, c'est vrai et, dans ces cas-là, j'ai envie de tout plaquer.

Mais c'est impossible. **Je ne peux pas m'apitoyer sur mon sort.** Il faut continuer, persévérer, ne jamais baisser les bras ! Hors de question de jeter l'éponge quand il s'agit de mon corps et de mon bien-être !

Soyez toujours prête à ramasser les morceaux et à repartir de plus belle parce que, si vous ne le faites pas, personne ne le fera pour vous. Tout au long de cette aventure, vous multiplierez les expériences : tirez-en des leçons pour éviter de reproduire vos erreurs et allez de l'avant !

Encore le moral dans les chaussettes ? Allons, ce n'est pas un petit kilo en trop ou un léger coup de fatigue qui vont vous mettre des bâtons dans les roues ! Vous pouvez surmonter cette épreuve, je suis sûre que vous l'avez déjà fait. Ce qui est fait est fait : laissez le passé derrière vous et concentrez-vous sur le futur. Montrez-moi ce que vous avez dans le ventre ! Faites preuve de détermination et de persévérance.

En avant toute !

Cassey

Les menus minceur spécial automne

LUNDI	MARDI	MERCREDI	JEUDI
Petit déjeuner Œufs brouillés à la mexicaine : 4 blancs d'œufs brouillés, 80 ml de sauce salsa, 1 tranche de pain grillé, ¼ d'avocat coupé en dés	**Petit déjeuner** Porridge à la patate douce (p. 184)	**Petit déjeuner** Céréales à haute teneur en fibres avec du lait d'amande sans sucre ajouté et 2 cuil. à soupe de graines de lin moulues	**Petit déjeuner** Smoothie protéiné : 1 dose de protéines en poudre, 4 poignées de kale cru haché, 1 petite banane préalablement congelée, ½ poire
Collation Bouchées énergétiques au riz soufflé (p. 191)	**Collation** Yaourt à la grecque allégé en matières grasses avec 1 cuil. à café de sirop d'agave (facultatif)	**Collation** 1 pomme avec 1 cuil. à soupe de beurre de cacahuète ou de purée d'amandes	**Collation** Bouchées énergétiques au riz soufflé (p. 191)
Déjeuner Sandwich au thon : 150 g de thon en boîte mélangé avec 2 cuil. à café de moutarde, 2 petits cornichons hachés et 1 cuil. à soupe de mayonnaise végétalienne, le tout étalé avec du mesclun entre 2 tranches de pain aux graines germées	**Déjeuner** Salade de poulet : 200 g de laitue ou de légumes variés cuits et émincés, et 1 filet de poulet (115 g) cuit et détaillé en lanières, assaisonnés avec une vinaigrette (1 cuil. à soupe de vinaigre balsamique, 1 cuil. à café d'huile d'olive et ½ cuil. à soupe de moutarde de Dijon)	**Déjeuner** Wraps fraîcheur : 2 grandes feuilles de laitue garnies avec 1 filet de poulet (115 g) cuit et détaillé en lanières avec 100 g de crudités (concombre en julienne, tomate en dés et carottes râpées) et 50 g d'houmous, à répartir dans les deux wraps	**Déjeuner** Sandwich à la dinde : 115 g de filet de dinde à teneur réduite en sel, 2 rondelles de tomate, 4 poignées de mesclun, le tout dressé dans un muffin anglais au blé complet
Collation (voir mercredi matin)	**Collation** Bouchées énergétiques au riz soufflé (p. 191)	**Collation** 3 tranches de filet de dinde à teneur réduite en sel et 1 portion (30 g) de fromage allégé en matières grasses	**Collation** 1 branche de céleri et 1 carotte avec 50 g d'houmous
Dîner Légumes au tofu : 50 g de cubes de tofu revenus à la poêle avec 2 cuil. à café d'huile d'olive, 4 champignons de Paris (frais), 50 g de courgette, 25 g de brocoli, 6 poignées de pousses d'épinard et 1 cuil. à soupe de jus de citron	**Dîner** Saumon/brocoli : 1 filet de saumon (115 g) cuit au four (15 minutes à 180 °C) avec 150 g de brocoli vapeur assaisonné avec 1 cuil. à café d'huile d'olive vierge extra, du sel et du poivre	**Dîner** Curry de butternut (p. 188)	**Dîner** Tartine œuf/avocat : 4 blancs d'œufs brouillés parsemés de parmesan râpé, 1 tranche de pain aux graines germées et ¼ d'avocat coupé en dés

Les recettes suivies d'un folio sont détaillées dans ce livre aux pages correspondantes ; quant aux autres, elles sont si simples que vous pourrez les réaliser en un tour de main !

VENDREDI	SAMEDI	DIMANCHE
Petit déjeuner Céréales à haute teneur en fibres avec du lait d'amande sans sucre ajouté et 2 cuil. à soupe de graines de lin moulues	**Petit déjeuner** Porridge à la banane : 100 g de flocons d'avoine cuits, 1 petite banane écrasée et 1 cuil. à café de sirop d'agave	**Petit déjeuner** Mini-pancakes pomme-noix (*p. 183*)
Collation 75 g de sommités de brocoli à tremper dans 50 g d'houmous	**Collation** 3 poignées d'algues edamame vapeur	**Collation** 2 galettes de riz avec 1 portion (30 g) de fromage allégé en matières grasses
Déjeuner Quesadilla à la dinde (*p. 186*)	**Déjeuner** Smoothie protéiné : 1 dose de protéines en poudre, 4 poignées de kale cru haché, 1 petite banane préalablement congelée, ½ poire	**Déjeuner** Semoule de chou-fleur façon couscous (*p. 185*)
Collation Bouchées énergétiques au riz soufflé (*p. 191*)	**Collation** Yaourt à la grecque allégé en matières grasses avec 1 cuil. à café de sirop d'agave (facultatif)	**Collation** 3 poignées d'algues edamame vapeur
Dîner Salade : 200 g de crudités (au choix) ou de laitue et 1 filet de poulet cuit (115 g), coupé en dés, le tout assaisonné de vinaigrette (1 cuil. à soupe de jus de citron, 1 cuil. à café d'huile d'olive, ½ cuil. à soupe de moutarde de Dijon et 1 cuil. à café de sirop d'agave)	**Dîner** Poulet et tagliatelles de courgette, sauce aux noix de cajou (*p. 187*)	**Dîner** Poulet/choux de Bruxelles rôtis : 1 patate douce cuite, 1 filet de poulet (115 g) cuit, et 6 choux de Bruxelles (coupés en deux, enrobés de 1 filet d'huile d'olive vierge extra et rôtis 20 minutes à 200 °C)

HIVER

L'hiver

Garder la tête froide et se faire plaisir sans culpabiliser

Ça y est, les fêtes de fin d'année sont là ! J'entends d'ici le bois craquer dans la cheminée, je vois les guirlandes lumineuses scintiller dans la ville, je sens l'esprit de Noël flotter dans l'air et j'ai l'eau à la bouche rien qu'en pensant à tous les mets délicats du réveillon. Le jour du repas le plus gourmand de l'année arrive à grands pas !

En hiver, trouver la motivation nécessaire pour faire ses exercices peut être difficile, mais s'obstiner à manger équilibré est un vrai calvaire ! Voici donc ce que je vous propose : ne vous privez pas de tous ces bons petits plats ; après tout, les repas familiaux font partie de nos rituels sociaux ! Savourez-les donc comme il se doit, en essayant simplement de rester raisonnable sur les portions. Pour éviter de craquer, accordez-vous également un repas Carpe diem* par semaine. Si vous êtes invitée à plusieurs réceptions (réveillon, Noël des enfants, fiesta du Nouvel An, etc.), essayez de limiter les dégâts en vous remplissant l'estomac en amont avec de la viande maigre et des légumes : vous résisterez ainsi mieux aux canapés et autres vol-au-vent !

Pour vous aider à tenir bon, essayez de vous remémorer la sensation de légèreté et de bien-être que vous ressentiez cet été, quand aller faire du sport en plein air ne vous demandait aucun effort et que les étals du marché regorgeaient de fruits et de légumes frais... D'accord, en cette période de l'année, vous ne pouvez pas remplir votre assiette de belles salades croquantes et colorées, mais vous pouvez toujours faire preuve de créativité ! Préparés en ragoût, en soupe,

....

*Le repas Carpe diem est un repas durant lequel vous pouvez manger tout ce qui vous plaît, sans restriction.

en gratin, les légumes restent vos meilleurs alliés pour vous réchauffer et vous aider à faire le plein de nutriments pendant ces longs mois d'hiver. Ce n'est pas parce que vos vêtements sont moins légers que vos repas doivent l'être aussi ! Restez à l'écart des sauces trop riches, de la crème et du beurre et jouez plutôt avec les herbes comme la sauge, le romarin ou le thym par exemple, pour créer de nouvelles saveurs. Si vous gardez l'esprit ouvert et que vous mettez du cœur dans vos préparations, les possibilités sont infinies !

Pour résumer : ne soyez pas trop dure envers vous-même. Noël n'a lieu qu'une fois dans l'année, alors profitez-en ! Si vous continuez à vous entraîner sérieusement et à manger équilibré le reste du temps, tout ira bien !

SOYEZ FORTE, DÉTERMINÉE, PRÊTE À CONQUÉRIR LE MONDE MERVEILLEUX DE NOËL !

MES EXERCICES D'HIVER

SÉANCE D'ENTRAÎNEMENT N° 1 : ADIEU LE BOURRELET DISGRACIEUX !

Si le père Noël porte bien la bedaine, ce n'est malheureusement pas notre cas ! Alors cet hiver, prenez les mesures nécessaires pour éviter d'accumuler les traditionnels kilos de Noël, et garder la ligne jusqu'au printemps ; vous me remercierez quand les beaux jours reviendront ! Les exercices qui vous sont proposés ici, comme l'Agent secret, par exemple, sollicitent plusieurs groupes musculaires et sont un moyen ludique et motivant de brûler les calories avalées avec la bûche et les marrons glacés !

LA ROTATION DU TRONC × 20
RENFORCE : LES OBLIQUES, LES QUADRICEPS

A Joignez vos mains et ouvrez les coudes de manière à ce que vos avant-bras forment une ligne droite. Décollez les jambes du tapis - chevilles croisées et genoux fléchis - et cherchez votre point d'équilibre avec votre coccyx. Si vous débutez, laissez vos pieds au sol.

B Inspirez en effectuant une rotation du tronc vers la gauche ; votre coude gauche doit venir toucher le tapis. Expirez en revenant au centre et inspirez en allant toucher l'autre côté du tapis avec le coude droit.

L'AGENT SECRET × 15
COUPS DE FEU
RENFORCE : LES OBLIQUES,
LES ABDOMINAUX, LES ÉPAULES,
LES QUADRICEPS

A Asseyez-vous au sol et joignez les
mains comme pour simuler un pistolet
(tous les doigts croisés sauf les index).
Croisez les chevilles et décollez les jambes
du tapis en gardant les genoux fléchis et le
buste bien droit. Trouvez le point d'équilibre
sur votre coccyx. Si vous débutez, gardez les
pieds au sol.

B Inspirez en effectuant une rotation du
buste pour venir toucher votre hanche
gauche avec votre « pistolet ». Expirez en
tendant les jambes et en étirant les bras
vers le ciel : tirez ! Inspirez en répétant le
mouvement de l'autre côté.

LA PLANCHE LATÉRALE AVEC ROTATION × 10 DE CHAQUE CÔTÉ

RENFORCE : LES OBLIQUES, LES ÉPAULES, LA SANGLE ABDOMINALE

A Prenez appui sur vos pieds et votre coude gauche et montez en Planche latérale. Assurez-vous que votre coude est aligné sous votre épaule et que votre cheville droite se trouve devant la gauche. Tendez votre bras droit vers le ciel et gardez les yeux rivés sur votre main droite tout au long de l'exercice.

B Expirez en ramenant la main droite sous le tronc comme pour attraper quelque chose de l'autre côté du tapis. Inspirez en tendant le bras droit vers le ciel.

LA PLANCHE LATÉRALE AVEC UNE HANCHE AU SOL × 10 DE CHAQUE CÔTÉ

RENFORCE : LES OBLIQUES

A Prenez appui sur vos pieds et votre coude gauche et montez en Planche latérale. Assurez-vous que votre coude est aligné sous votre épaule et que votre cheville droite se trouve devant la gauche. Tendez votre bras droit vers le ciel et gardez les yeux rivés sur votre main droite tout au long de l'exercice.

B Sans tourner les hanches ou le buste, abaissez votre bassin jusqu'à venir toucher le tapis avec la hanche gauche, puis remontez en Planche latérale. Si vous débutez, prenez plutôt appui sur les coudes et les genoux.

LE MOULIN × 12
RENFORCE : LES OBLIQUES,
LE BAS DU DOS

A Allongez-vous sur le dos, tête relâchée,
bras en croix et paumes vers le sol.
Levez les jambes à la verticale, les talons
serrés l'un contre l'autre et les orteils pointés
vers le ciel.

B Gardez les deux jambes bien soudées et
inspirez en les déportant vers la droite,
aussi bas que possible sans que vos omoplates
se décollent du tapis. Expirez en ramenant
les jambes au centre, puis inspirez en
répétant le mouvement vers la gauche. Cet
enchaînement constitue 1 répétition. Si vous
débutez, pliez plutôt les genoux à l'équerre
en position de Chaise renversée.

LA PLANCHE AVEC ROTATION DU BASSIN × 20
RENFORCE : LES HANCHES, LA SANGLE ABDOMINALE, LES OBLIQUES

A Placez-vous en position de Planche, en appui sur les coudes. Ne creusez pas le dos et gardez le bassin aligné avec le reste du corps. Si vous débutez, prenez appui sur les genoux plutôt que sur les orteils.

B Effectuez une rotation du bassin vers la gauche jusqu'à toucher le tapis avec la hanche gauche, puis faites de même vers la droite.

SÉANCE D'ENTRAÎNEMENT N° 2 : UN FESSIER À CROQUER

Rien de plus sexy que de belles fesses pommelées dans une robe de réveillon ! Mais pour ça, il va falloir souffrir ! Amusez-vous à faire « fumer » vos fessiers avec le Pont avec cercles et le Fire hydrant – lancez-vous des défis plutôt que de rester focalisée sur la douleur !

Au fond du trou ?

Si vous sentez que vous avez besoin de pleurer, pleurez. Laissez sortir toute cette énergie négative hors de votre organisme. Une fois les sanglots dispersés, passez en revue toutes les qualités qui font de vous la personne que vous êtes. Vantez ouvertement vos mérites ; et interdiction formelle de se sentir coupable ou arrogante ! Acceptez vos points forts et osez reconnaître que vous êtes quelqu'un de bien ! Rien ne pourra vous arrêter parce que vous êtes une femme forte, déterminée et qui sait ce qu'elle veut. En avant toute !

LE PONT AVEC CERCLES × 15 DANS UN SENS ET 15 DANS L'AUTRE POUR CHAQUE JAMBE
RENFORCE : LES FESSIERS, LES CUISSES

A Allongée sur le dos, les bras le long du corps, poussez votre bassin vers le haut de manière à effectuer un pont. Levez la jambe droite à la verticale, les orteils pointés vers le ciel.

B Avec votre pointe de pied droite, dessinez 15 cercles dans un sens, puis 15 dans l'autre sans jamais laisser votre bassin s'affaisser.

LE PONT AVEC ESSUIE-GLACE × 10 POUR CHAQUE JAMBE
RENFORCE : LES FESSIERS, L'INTÉRIEUR ET L'EXTÉRIEUR DES CUISSES

A Allongée sur le dos, les bras le long du corps, poussez votre bassin vers le haut de manière à effectuer un pont. Levez la jambe gauche à la verticale et fléchissez le pied. Si vous débutez, adoptez la même position des jambes mais gardez le dos au sol.

B En gardant le bassin immobile, inspirez et effectuez un mouvement d'essuie-glace avec votre jambe gauche : essayez de la faire descendre le plus bas possible vers la gauche, l'idéal étant qu'elle soit parallèle au sol. Puis, sur l'expiration, ramenez-la lentement en position initiale.

LE FIRE HYDRANT × 20 POUR CHAQUE JAMBE
RENFORCE : LES FESSIERS

A Mettez-vous à quatre pattes, les mains alignées sous les épaules, les bras tendus, et les genoux écartés à la largeur des hanches.

B En gardant le bassin face au tapis et les genoux à l'équerre, écartez une cuisse le plus haut possible. Maintenez la position, puis revenez en position initiale et répétez aussitôt le mouvement.

LE FIRE HYDRANT AVEC COUP DE PIED LATÉRAL × 15 POUR CHAQUE JAMBE
RENFORCE : LES FESSIERS, LES JAMBES

A Mettez-vous à quatre pattes, les mains alignées sous les épaules, les bras tendus, et les genoux écartés à la largeur des hanches. Comme pour le Fire hydrant, levez la cuisse droite jusqu'à ce qu'elle soit parallèle au sol.

B Pointez les orteils vers l'arrière et dépliez votre jambe jusqu'à ce qu'elle soit totalement tendue. Repliez le genou et revenez en position initiale.

LA SAUTERELLE × 20
RENFORCE : LES FESSIERS, LE BAS DU DOS

A Allongez-vous sur le ventre, les deux mains sous le menton.
Écartez les genoux et ramenez les pieds vers les fesses de manière à ce que vos orteils se touchent.

B Contractez les fessiers et décollez les genoux du tapis.
Relâchez le buste au maximum et concentrez toute votre énergie dans le bas du corps.

Que faire quand la motivation n'est pas au rendez-vous ?

Parfois, il suffit de peu pour s'y mettre. Commencez par choisir un morceau qui vous donne envie de danser et montez le son ; enfilez votre tenue de sport, vos baskets, puis dressez la liste des exercices que vous prévoyez d'effectuer : en les notant par écrit, vous vous y tiendrez plus facilement. Ça marche à tous les coups pour moi ! Cette liste fait office de coach sportif qui, dès que j'ai envie d'arrêter, me pousse à continuer pour atteindre mes objectifs. En plus, le simple fait d'écouter une chanson que j'aime me donne toujours envie de bouger mon corps !

LES CERCLES À PLAT VENTRE × 15 DANS UN SENS ET 15 DANS L'AUTRE POUR CHAQUE JAMBE

RENFORCE : LES FESSIERS, L'INTÉRIEUR ET L'EXTÉRIEUR DES CUISSES

A Allongez-vous à plat ventre, les deux mains placées sous le menton. Ancrez les orteils du pied droit dans le tapis pour vous aider à garder l'équilibre.

B Levez la jambe gauche aussi haut que possible et dessinez des cercles avec vos orteils tendus vers le ciel.

SÉANCE D'ENTRAÎNEMENT N° 3 : DES JAMBES DE RÊVE AU RÉVEILLON

Jambes nues ou en collants, préparez-vous à éblouir tout le monde au réveillon avec vos nouvelles jambes de star. Faites monter la température avec le Squat sumo avec saut, un exercice cardio qui vous aidera à brûler les graisses stockées au niveau des cuisses, puis galbez vos gambettes en faisant la Majorette.

LE SQUAT PIEDS SERRÉS AVEC ABDUCTION DE LA HANCHE × 12 POUR CHAQUE JAMBE
RENFORCE : LES QUADRICEPS, LES FESSIERS

A Tenez-vous debout et grandissez-vous, puis effectuez un squat pieds serrés en gardant le dos droit, les épaules ouvertes et les genoux joints. Assurez-vous que vos genoux ne dépassent pas vos pointes de pied.

B Tendez votre jambe droite vers l'extérieur, touchez le sol du bout du pied et revenez en squat pieds serrés. Gardez les fessiers le plus bas possible tout au long de l'exercice !

LE SQUAT SUMO AVEC SAUT
× 20
RENFORCE : LES CUISSES,
LES FESSIERS, LES QUADRICEPS,
LE CARDIO

A Placez-vous en position de Squat sumo, les pieds tournés vers l'extérieur et les genoux ouverts. Écartez les bras à l'horizontale et gardez les doigts détendus.

B Poussez sur la plante des pieds et effectuez un saut suffisamment haut pour avoir le temps de croiser vos chevilles. Réceptionnez-vous en douceur et, d'un bond, repassez en Squat sumo. Voilà pour la 1re répétition !

LE T AVEC SQUAT SUR UNE JAMBE
× 12 POUR CHAQUE JAMBE
RENFORCE : LES FESSIERS, LES QUADRICEPS

A Joignez vos mains devant vous et effectuez un squat pieds serrés : poussez le bassin vers le bas et vers l'arrière et ne laissez pas vos genoux dépasser les pointes de pied. Reportez le poids du corps sur la jambe gauche et poussez la jambe droite vers l'arrière (pied tendu) en gardant le dos droit et les épaules ouvertes.

B Tendez la jambe gauche, puis fléchissez-la pour redescendre en squat.

LES ESCALIERS × 10
RENFORCE : LES QUADRICEPS,
LES FESSIERS, LE CARDIO

A Mettez-vous à genoux et placez les mains derrière la tête en écartant les coudes, comme si vous étiez en état d'arrestation.

B Posez le pied gauche à plat devant vous, puis le pied droit ; reposez le genou gauche au sol, puis le droit. Cet enchaînement constitue 1 répétition.

LE T AVEC SAUT × 10 CHAQUE JAMBE
RENFORCE : LE BAS DU CORPS, LE CARDIO

A Tendez la jambe droite, ancrez-la dans le sol et levez la jambe gauche à l'horizontale en pointant vos orteils vers l'arrière de manière à ce que votre corps prenne la forme de la lettre T. Écartez les bras sur le côté comme si vous étiez sur le point de prendre votre envol.

B Donnez une impulsion avec votre jambe droite et effectuez un petit saut en ramenant le genou gauche vers la poitrine et en étirant les bras vers le ciel. Revenez en position initiale.

LA MAJORETTE × 10
DE CHAQUE CÔTÉ
RENFORCE : LES CUISSES,
LES FESSIERS, LES QUADRICEPS

A Avec la jambe droite, faites un pas en
avant et abaissez votre coccyx jusqu'à
ce que votre genou gauche touche le sol
comme si vous alliez demander quelqu'un en
mariage. Dans le même temps, chassez vos
deux bras vers la droite.

B Relevez-vous en remontant le genou
gauche vers le buste et en chassant
les bras vers la gauche. Revenez en position
initiale.

SÉANCE D'ENTRAÎNEMENT N° 4 : AUX VACANCES DE NOËL, ÉTIREZ-VOUS DE PLUS BELLE !

Offrez des vacances à votre corps avec cette séance d'étirements conçue pour allonger, délier et détendre vos muscles. Appréciez vos efforts et relâchez la pression, tout en améliorant votre posture et votre maintien.

LE CHIEN QUI DANSE × 15
RENFORCE : LA SOUPLESSE DU DOS, L'ÉVEIL GÉNÉRAL DU CORPS

A Inspirez en prenant la posture du Chien tête en bas : dos droit, bassin pointé vers le ciel, talons qui s'étirent vers le tapis, regard sur les orteils.

B Expirez en passant en Chien tête en haut : buste haut, bassin près du sol (sans toucher !), dos arqué, mains alignées sous les épaules et bras tendus. Inspirez en revenant en position initiale. Vous venez d'effectuer 1 répétition.

LA SIRÈNE QUI DANSE
× 8 DE CHAQUE CÔTÉ
RENFORCE : LA SOUPLESSE
DU DOS, L'ÉVEIL GÉNÉRAL
DU CORPS

A Asseyez-vous le dos bien droit
en position de sirène, c'est-à-dire
avec le talon gauche ramené contre
votre adducteur droit et le genou
gauche écarté vers l'arrière.

B Joignez les mains au-dessus de la
tête et inspirez en étirant le haut
du corps vers la gauche (votre bras
gauche doit toucher le tapis). Expirez
en remontant : passez le bras droit
devant vous et le gauche en couronne.

L'IGUANE – 30 SECONDES DE CHAQUE CÔTÉ
RENFORCE : LE DOS, LE BUSTE, L'AINE

A Effectuez une fente très basse en gardant le genou gauche au-dessus du genou et en posant le genou droit au sol, loin derrière vous.

B Placez vos mains devant vous, paume contre paume comme pour prier, et tendez les bras vers le ciel. Arquez le dos et étirez la colonne vers l'arrière.

LA TORSION SPINALE
× 12

RENFORCE : LE MAINTIEN,
LE DOS

A Asseyez-vous dans une position confortable et grandissez-vous en étirant la colonne au maximum. Détendez les épaules et tenez la tête si droite qu'on pourrait y poser un diadème en équilibre. Tendez vos bras sur les côtés, comme pour déployer vos ailes.

B Expirez en venant toucher les orteils de votre pied droit avec la main gauche. Gardez les yeux rivés sur votre main droite. Inspirez en ramenant la colonne au centre et bien droite. Cet enchaînement constitue 1 répétition.

LE PANIER
– 30 SECONDES
DE CHAQUE CÔTÉ
RENFORCE :
LES FESSIERS

A Allongez-vous sur le dos et croisez le genou droit sur le gauche. Attrapez l'extérieur des pieds et tirez-les en direction de vos épaules. Maintenez la position pendant 30 secondes, puis croisez le genou gauche sur le droit et faites de même.

Séance express

Il arrive parfois que la journée soit vraiment trop chargée pour pouvoir pratiquer une séance d'entraînement en bonne et due forme. Ce n'est pas grave. Rappelez-vous simplement qu'un peu d'exercice vaut mieux que pas d'exercice du tout. Dans ce genre de situation, optez pour une séance express qui, comme celle-ci, fera travailler votre corps dans son ensemble, le tout en moins de 10 minutes : 1. T avec squat sur une jambe × 12 pour chaque jambe (p. 213) 2. Planche latérale avec rotation et levé de bassin × 12 (p. 154) 3. Pompe suivie de la Planche latérale × 12 (p. 168) 4. Double crunch de l'Aigle × 15 (p. 48) 5. Étoile × 15 (p. 97). Répétez cet enchaînement 3 fois de suite.

L'ENFANT QUI ENFILE UNE AIGUILLE
– 30 SECONDES DE CHAQUE CÔTÉ
RENFORCE : LE HAUT DU DOS

A Placez-vous en posture de l'enfant, le buste sur les cuisses, les bras étirés
vers l'avant et la tête relâchée.

B Avec la paume vers le ciel, passez le bras gauche sous le bras droit. Poussez
votre épaule gauche contre votre genou gauche et votre coude contre le
tapis.

SÉANCE D'ENTRAÎNEMENT N° 5 : OBJECTIF FERMETÉ AVANT LES FESTIVITÉS ! (FULL BODY)

Montez le son et préparez-vous à bouger votre corps avec cette séance d'entraînement qui sollicitera tous vos groupes musculaires ! Faites le Cha-cha-cha pour tonifier vos abdominaux, les Pompes limbo pour raffermir vos bras et affiner votre taille, et terminez par l'Avion qui vous vaudra à coup sûr les honneurs.

LA PLANCHE AVEC ALLER-RETOUR × 8
RENFORCE : LA SANGLE ABDOMINALE, LES ÉPAULES

A Placez-vous en position de Planche avec les mains alignées sous les épaules, les bras tendus, le corps formant une ligne droite et les pieds écartés à la largeur des épaules. Touchez votre épaule droite avec la main gauche, puis reposez celle-ci une longueur de main plus bas que là où elle était. Faites de même de l'autre côté et recommencez jusqu'à ce que vos mains touchent vos orteils.

B Reprenez l'exercice – cette fois en avançant les mains – jusqu'à revenir en position de Planche. Cet aller-retour compte comme 1 répétition !

LE DOUBLE CRUNCH AVEC UNE JAMBE TENDUE × 16
RENFORCE : LES ABDOMINAUX, LES QUADRICEPS

A Allongée sur le dos, étendez les jambes vers l'avant et les bras au-dessus de la tête.

B Expirez en soulevant la jambe gauche et en effectuant un relevé de buste : vos bras et vos jambes doivent rester tendus tout au long de l'exercice. Inspirez en abaissant lentement le dos vers le tapis et en baissant la jambe. Changez de jambe et répétez le mouvement. Cet enchaînement constitue 1 répétition.

LES POMPES LIMBO × 5
POUR CHAQUE JAMBE
RENFORCE : LE HAUT DU CORPS

A Placez-vous en posture du Chien tête
en bas, c'est-à-dire les paumes à plat,
les talons vers le sol, le regard dirigé vers
les orteils et le postérieur pointé vers le
haut. Levez la jambe droite à la verticale, les
orteils tendus vers le ciel. Si vous débutez,
gardez les deux les pieds sur le tapis.

B Imaginez qu'une barre de limbo se
trouve devant vous, une cinquantaine
de centimètres au-dessus du tapis.
Descendez en Pompe et essayez de passer
sous la barre sans la toucher. Si vous avez
bien fait l'exercice, vous devriez maintenant
vous retrouver sur une jambe, en posture
du Chien tête en haut. Poussez sur les
paumes pour revenir en position initiale.
Cet enchaînement correspond à 1 répétition.

LE BOXER × 20
RENFORCE : LES QUADRICEPS, LA SANGLE ABDOMINALE, LES BRAS

A Assise au sol, décollez les pieds du tapis en gardant les genoux fléchis, les chevilles croisées et les orteils pointés vers l'avant. Trouvez votre point d'équilibre sur le coccyx et serrez les poings devant votre visage comme si vous étiez sur le point de vous battre.

B Expirez en tendant les jambes et le bras droit pour donner un coup de poing vers la gauche. Inspirez en revenant en position initiale. Donnez ensuite un coup de poing vers la droite en tendant le bras gauche et les jambes. Chaque coup de poing compte comme 1 répétition.

LE DEMI-COBRA × 15
DE CHAQUE CÔTÉ
RENFORCE : LES TRICEPS,
LE BUSTE

A Allongez-vous sur le ventre,
les mains posées à côté de
vos épaules, les coudes collés à
la cage thoracique. Faites glisser
votre main droite jusqu'au coin
supérieur droit de votre tapis.

B Expirez en poussant sur votre
bras droit jusqu'à ce qu'il soit
tendu. Inspirez en revenant en
position initiale.

LE CHA-CHA-CHA × 15
RENFORCE : LES TRANSVERSES

A Décollez les pieds du sol, genoux joints, et trouvez votre point d'équilibre sur le coccyx. Étirez vos bras au-dessus de votre tête, allongez votre cou vers le haut et relâchez vos épaules en les éloignant de vos oreilles.

B Poussez l'épaule gauche vers le bas et l'arrière en contractant les transverses du côté gauche : cha ! Faites de même avec l'épaule et les transverses droits – cha ! –, puis reprenez du côté gauche : cha ! Ces trois mouvements – cha-cha-cha – constituent 1 répétition. Attention de ne pas vous laisser emporter par la danse, vos bras doivent rester tendus tout au long de l'exercice.

L'AVION – 15 SECONDES × 3
RENFORCE : LA SANGLE ABDOMINALE, LES QUADRICEPS

A Croisez les chevilles et trouvez le point d'équilibre sur votre coccyx en gardant le dos bien droit et la colonne étirée vers le ciel.

B Ouvrez les bras et levez les pieds en gardant les jambes parfaitement tendues. Maintenez la position ! Cet exercice étant particulièrement éprouvant, il est déconseillé aux personnes souffrant de douleurs lombaires. Si c'est votre cas, enroulez votre colonne (Roll down) pour protéger votre dos et gardez les jambes allongées devant vous sur le tapis.

Le petit mot de Cassey

Pourquoi mange-t-on même quand on n'a pas faim ?

Qui n'est jamais resté de longues minutes à contempler le contenu du réfrigérateur, fasciné par le spectacle réconfortant de toute cette nourriture enveloppée dans un halo de lumière quasi mystique ? Notre bras s'allonge, saisit le produit qui nous attire le plus et qui paraît capable de satisfaire notre besoin du moment. À cet instant précis, seul cet aliment semble à même de nous comprendre et de nous contenter.

Pourtant, la plupart du temps, on n'a même pas vraiment faim. On cherche juste à se distraire, à se changer les idées ou à s'occuper pour fuir une situation que l'on n'a pas envie d'affronter. Croyez-moi, quand je me sentais mal à l'université ou dans mon travail, il m'est arrivé à de nombreuses reprises d'avoir la bougeotte, de me diriger droit vers le frigo et de manger sans faim simplement pour m'occuper l'esprit.

Dans ces moments-là, voici ce que je me dis : « Le petit goût grillé et salé de ces cacahuètes est absolument irrésistible. Ça fait vraiment du bien par où ça passe. Impossible de m'arrêter ; d'ailleurs, oups, j'ai fini le paquet. Oh mais, une minute, qu'est-ce que c'est que ça ? Ne serait-ce pas une part de la pizza d'hier. Mmm, un délice. Oui mais j'ai encore un petit creux... Voyons si ce pot de glace à la vanille fera l'affaire. Aaaah, parfait ! »

La nourriture est une source de réconfort, de par le fait qu'elle nous rappelle notre enfance, notre mère, la maison où nous avons grandi. Être nourri et se sentir repu sont des sensations agréables. Il n'y a donc rien de plus naturel que de chercher à combler un manque ou à se distraire par le biais de la nourriture — comme le confirmeront tous ceux qui, moi comprise, ont déjà englouti une boîte de chocolats entière après une rupture sentimentale. Cependant, vous ne pouvez pas résoudre tous vos problèmes en vous tournant vers la nourriture. C'est précisément en adoptant ce type de comportement que les calories et les kilos s'accumulent.

Pour éviter les excès, prenez toujours une minute avant de piocher dans le frigo pour vous demander si vous avez vraiment faim. Si vous avez un doute, servez-vous un grand verre d'eau et continuez à réfléchir pendant que vous le buvez. Vous n'arrivez toujours pas à calmer votre fringale ? Optez pour un fruit ou une collation saine comme des bâtonnets de carotte à tremper dans de l'houmous tout en continuant à vous interroger sur la source de cette fringale. Essayez de vous calmer, de prendre du recul : y a-t-il une situation qui vous met mal à l'aise et à laquelle vous aimeriez échapper ? S'est-il passé quelque chose dans votre journée qui vous a contrariée ? Plutôt que de vous ruer sur le garde-manger, appelez une amie et abordez le sujet avec elle : c'est le meilleur moyen d'évacuer cette énergie négative et de chasser les toxines émotionnelles qui vous poussent à vous réfugier dans la nourriture.

Tout ce dont vous avez besoin, c'est de recouvrer l'équilibre, de combler un vide, de vous sentir à nouveau entière, pleine ; pas sur le plan physique, mais sur le plan émotionnel. Le simple fait de prendre conscience de cette réalité, vous permettra de reprendre le contrôle de votre alimentation et de chasser vos mauvaises habitudes. **Je sais que vous en êtes capables ; alors tenez bon, les filles !**

♡ Cassey

MES PETITS PLATS D'HIVER

L'hiver est la meilleure saison pour tester votre créativité ! De nombreux fruits et légumes n'étant plus disponibles sur les étals, il est en effet primordial de bien connaître les produits de saison pour ne pas se sentir frustrée dans ses créations culinaires. La courge spaghetti, par exemple, est un légume d'hiver idéal pour laisser libre cours à votre imagination : sa chair se détache en longs filaments qui rappellent les spaghetti (en moins riches et plus sains !) et a la propriété de prendre le parfum des produits avec lesquels on la marie. Pour ma part, je la cuisine à la tomate (*p. 237*), mais n'hésitez pas à l'associer à tout autre légume ou sauce (légère et sans viande rouge, si possible) qui titillent vos papilles !

Enfin, ce n'est pas parce qu'on mange sainement qu'il faut en oublier l'esprit de Noël : remplacez simplement les biscuits bourrés de sucre que vous laissez habituellement au père Noël par de délicieux brownies menthe-chocolat (*p. 240*) : ça lui fera le plus grand bien !

Mon panier de saison

Légumes

Chou cavalier

Chou-fleur

Chou de Bruxelles

Courge butternut

Endive

Kale

Patate douce

Potimarron

Fruits

Ananas

Clémentine

Datte

Fruit de la Passion

Grenade

Kiwi

Mandarine

Orange

Pamplemousse

Poire

Muffin minute au potiron et aux épices

INGRÉDIENTS

1 gros œuf

2 cuil. à soupe
de purée de potiron
en boîte

1 cuil. à café
de cannelle
en poudre

1 pincée de noix
muscade râpée

½ cuil. à café d'arôme
naturel de vanille

2 cuil. à café de stévia

25 g de flocons d'avoine

1 cuil. à soupe de lait
de soja ou d'amande
sans sucre ajouté
(facultatif)

RECETTE

Dans un mug, mélangez l'œuf, la purée de potiron,
la cannelle, la noix muscade, l'arôme de vanille et
la stévia à la fourchette. Passez les flocons d'avoine
au mixeur puis incorporez-les au reste du mélange.
Si besoin est, ajoutez un trait de lait végétal pour
détendre l'appareil.

Mettez le mug au micro-ondes et laissez cuire 1 minute
à puissance maximale (ne quittez pas le muffin des
yeux : il peut gonfler très vite !). À la sortie du four,
assurez-vous que le dessus du muffin est bien ferme ;
si ce n'est pas le cas, relancez la cuisson pendant
30 secondes supplémentaires.

Laissez tiédir 1 minute avant de démouler le muffin
et de le servir sur une assiette à dessert.

160 calories, 6 g de lipides, 16 g de glucides,
9 g de protéines, 2 g de sucre.

POUR 1 MUFFIN

Gaufres vanillées

INGRÉDIENTS

- 2 cuil. à soupe de graines de lin moulues
- 1 filet d'huile
- 200 g de farine complète
- ½ cuil. à café de sel
- 2 cuil. à café de bicarbonate de soude
- 3 cuil. à café de stévia
- 75 g de flocons d'avoine
- 475 ml de lait de soja ou d'amande à la vanille sans sucre ajouté
- 80 ml d'huile de coco, fondue
- 1 cuil. à café d'arôme naturel de vanille

RECETTE

Dans un bol, délayez les graines de lin dans 90 ml d'eau et laissez gonfler 10 minutes.

Préchauffez un gaufrier et graissez-le avec un filet d'huile.

Dans un saladier, mélangez la farine, le sel, le bicarbonate, la stévia et les flocons d'avoine. Dans un second saladier, mélangez les graines de lin gonflées avec le lait, l'huile de coco et l'arôme de vanille. Versez les deux préparations dans le bol d'un blender et mixez jusqu'à obtenir un appareil homogène. Versez un quart de la pâte dans les empreintes du gaufrier et laissez cuire jusqu'à ce que les gaufres soient joliment dorées (4 à 5 minutes env.). Répétez l'opération jusqu'à épuisement de la pâte.

279 calories, 15 g de lipides, 33 g de glucides, 7 g de protéines, 2 g de sucre (par gaufre).

POUR 4 GAUFRES

Soupe paysanne au kale

INGRÉDIENTS

2 cuil. à café d'huile d'olive

$1/3$ d'oignon, haché

1 gousse d'ail, écrasée

1 carotte, coupée en mirepoix

1 cuil. à café de thym séché

1 cuil. à café d'origan séché

400 g de haricots blancs en boîte, égouttés et rincés

750 ml de bouillon de légumes

8 poignées de kale, débarrassé de ses parties ligneuses et grossièrement haché

Sel

Poivre

RECETTE

Dans une casserole de taille moyenne, faites chauffer l'huile d'olive à feu moyen-vif. Ajoutez l'oignon, l'ail, la carotte, le thym et l'origan et laissez cuire jusqu'à ce que les légumes soient tendres (env. 5 minutes) en remuant de temps en temps.

Ajoutez 2 cuillerées à soupe de haricots et écrasez-les avec le dos d'une cuillerée en bois. Ajoutez le bouillon et portez à ébullition. Incorporez le kale, le reste des haricots, salez et poivrez. Baissez le feu et laissez mijoter environ 10 minutes avant de servir.

207 calories, 3 g de lipides, 36 g de glucides, 11 g de protéines, 3 g de sucre (par portion).

POUR 4 PORTIONS

Patate douce en robe des champs

- 1 patate douce de taille moyenne
- 1 filet de poulet (115 g), cuit et coupé en lanières
- 2 poignées d'épinards frais, débarrassés de leur partie ligneuse
- 2 cuil. à soupe de haricots rouges en boîte, égouttés et rincés
- 60 ml de sauce salsa
- 2 cuil. à soupe de yaourt à la grecque allégé en matières grasses

RECETTE

À l'aide d'une fourchette, piquez la patate douce à quatre ou cinq endroits différents, puis déposez-la sur un plat compatible avec la cuisson au micro-ondes. Faites cuire à puissance maximale de 5 à 8 minutes. Dans une petite casserole, mélangez le poulet, les épinards et les haricots et laissez mijoter à feu doux-moyen.

Incisez la patate douce dans le sens de la longueur et garnissez avec le mélange poulet-légumes. Ajoutez la sauce salsa et le yaourt à la grecque sur le dessus et dégustez.

337 calories, 5 g de lipides, 40 g de glucides, 35 g de protéines, 11 g de sucre.

POUR 1 PORTION

Courge spaghetti à la dinde et à la tomate

INGRÉDIENTS

½ courge spaghetti, coupée en deux et épépinée

10 tomates cerises, coupées en deux

2 cuil. à café d'huile d'olive

1 gousse d'ail, écrasée

115 g de viande de dinde, hachée

2 cuil. à soupe de persil, haché

Sel

Poivre

RECETTE

Préchauffez le four à 190 °C (th. 6-7).

Déposez la courge spaghetti dans un petit plat à four (peau vers le haut). Mouillez avec 250 ml d'eau et enfournez de 35 à 40 minutes jusqu'à ce que la chair soit tendre. Sortez la courge du four et laissez tiédir.

Pendant ce temps, mélangez les tomates cerises, l'huile d'olive et l'ail dans un plat à four et enfournez 10 minutes.

Ajoutez la dinde et prolongez la cuisson de 15 minutes. Débarrassez dans un cul de poule et ajoutez le persil, du sel et du poivre.

Saisissez la courge à l'aide d'une pince de cuisine et grattez la chair de haut en bas avec une fourchette de manière à former de longs filaments. Mélangez les « spaghetti » avec le mélange dinde-tomate et servez.

330 calories, 13 g de lipides, 26 g de glucides, 28 g de protéines, 10 g de sucre.

POUR 1 PORTION

Bolo burger végétarien

INGRÉDIENTS

- 1 cuil. à café d'huile d'olive
- ¼ de poivron vert, haché
- ½ gousse d'ail, hachée
- 125 ml de sauce tomate
- 1 pincée de piment en flocons
- 25 g de haché végétal
- 50 g de courgette râpée
- 1 pain à hamburger au blé complet
- 1 grosse poignée de laitue (ou autre légume-feuille), déchirée en lanières

RECETTE

Dans une casserole antiadhésive de taille moyenne, faites chauffer l'huile d'olive à feu moyen. Ajoutez le poivron et l'ail et faites suer de 5 à 6 minutes en remuant.

Ajoutez la sauce tomate, le piment, le haché végétal et la courgette. Baissez le feu et laissez mijoter 5 minutes, le temps que tous les arômes se développent.

Versez la préparation sur le bas du pain à hamburger et garnissez de laitue, de chou (ou autre légume-feuille).

327 calories, 14 g de lipides, 42 g de glucides, 15 g de protéines, 11 g de sucre.

POUR 1 PORTION

Pain d'épice façon donut

INGRÉDIENTS

POUR LES DONUTS
1 filet d'huile

140 g de poudre
d'amandes

1 belle pincée de sel

1 belle pincée de
bicarbonate de
soude

1 cuil. à café de
gingembre en poudre

1 cuil. à café de
cannelle en poudre

⅓ de cuil. à café de
quatre-épices

1 pincée de clous de
girofle en poudre

3 gros œufs,
légèrement battus

2 cuil. à soupe de miel

60 ml d'huile de coco,
fondue

½ cuil. à café d'arôme
naturel de vanille

POUR LE GLAÇAGE
½ banane

2 cuil. à soupe de
fromage frais végétal

Pour la décoration :
cannelle, brisures
de noix, copeaux de
chocolat

RECETTE

Pour la pâte : graissez la plaque d'une machine à mini-donuts avec le filet d'huile. Dans un saladier, préparez une pâte à beignets en mélangeant la poudre d'amandes, le sel, le bicarbonate, le gingembre, la cannelle, le quatre-épices, les clous de girofle, les œufs, le miel, l'huile de coco et l'arôme de vanille. Versez 2 à 3 cuillerées à soupe de pâte dans chaque empreinte et laissez cuire jusqu'au signal de l'appareil (un cure-dent inséré au cœur de la pâte doit ressortir propre et sec). Démoulez les donuts et laissez-les refroidir sur une grille.

Pour le glaçage : écrasez la banane avec le dos d'une fourchette. Dans un robot, mixez la purée de banane et le fromage frais jusqu'à obtenir un mélange homogène (si le glaçage vous paraît trop épais, ajoutez un peu d'eau).

Étalez ensuite le glaçage sur les donuts et parsemez de cannelle, de brisures de noix, de copeaux de chocolat, etc. avant de savourer !

139 calories, 12 g de lipides, 5 g de glucides,
4 g de protéines, 2 g de sucre (pour 2 donuts)

POUR 24 DONUTS

Brownies menthe-chocolat

INGRÉDIENTS

1 filet d'huile

2 cuil. à soupe de graines de lin moulues

425 g de haricots rouges en boîte, égouttés et bien rincés

45 ml d'huile de coco, fondue

120 g de cacao amer

80 ml de sirop d'agave

1½ cuil. à café de levure chimique

1 cuil. à café d'arôme naturel de vanille

4 ou 5 gouttes d'huile essentielle de menthe poivrée

RECETTE

Préchauffez le four à 180 °C (th. 6). Graissez un moule carré de 20 cm de côté avec le filet d'huile.

Dans un cul de poule, délayez les graines de lin dans 90 ml d'eau et laissez gonfler 10 minutes.

Versez ensuite le mélange dans un robot et ajoutez les haricots, l'huile de coco, le cacao, le sirop d'agave, la levure, l'arôme de vanille et l'huile essentielle de menthe poivrée.

Mixez jusqu'à obtenir un appareil homogène, puis versez le tout dans le moule à brownie et enfournez de 20 à 25 minutes – un cure-dent enfoncé au centre doit ressortir encore légèrement humide et avec quelques miettes. Laissez refroidir 30 minutes, puis découpez le brownie en 12 carrés individuels avant de déguster.

120 calories, 5 g de lipides, 19 g de glucides, 15 g de protéines, 11 g de sucre (par brownie).

POUR 12 BROWNIES INDIVIDUELS

Frites de courge butternut

INGRÉDIENTS

1 filet d'huile

½ courge butternut, pelée, épépinée et coupée en bâtonnets de 0,5 cm d'épaisseur

1 filet d'huile d'olive

Assaisonnement au choix (facultatif) : sel, poivre, stévia, cannelle, piment d'Espelette, etc.

RECETTE

Préchauffez le four à 230 °C (th. 7-8). Graissez une plaque à four avec le filet d'huile de cuisson.
Dans un cul de poule, mélangez l'huile d'olive et l'assaisonnement de votre choix et enrobez les frites de butternut de ce mélange.
Étalez les frites sur la plaque sans qu'elles se chevauchent et enfournez de 16 à 19 minutes, ou jusqu'à ce qu'elles soient croustillantes à souhait !

61 calories, 2 g de lipides, 16 g de glucides, 1 g de protéines, 0 g de sucre (pour 5 à 7 frites).

POUR 4 PORTIONS

Smoothie de Noël

INGRÉDIENTS

120 ml de lait d'amande
à la vanille sans sucre
ajouté

1 banane, coupée
en rondelles et
préalablement placée
au congélateur

1 pincée de noix
muscade râpée

1 pincée de clous
de girofle en poudre

1 belle pincée de
cannelle en poudre

RECETTE

Versez tous les ingrédients dans un blender et mixez
jusqu'à obtenir un mélange homogène. Versez dans un
grand verre et dégustez.

135 calories, 3 g de lipides, 28 g de glucides,
2 ou 3 g de protéines, 15 g de sucre.

POUR 1 SMOOTHIE

Le petit mot de Cassey

Arrêtez de culpabiliser !

Les fêtes de fin d'année sont un moment de convivialité à partager avec famille et amis autour d'un bon repas. Ce n'est pas tous les jours qu'on a l'occasion de déguster des mets aussi délicats, alors arrêtez de compter les calories et profitez de l'instant présent ! La nourriture tient une place centrale dans notre culture : outre son rôle de carburant, c'est également un élément fédérateur autour duquel on se rassemble pendant les moments de partage et de fête.

Il n'y a rien de mal à prendre plaisir à manger et à faire un repas Carpe diem de temps en temps, bien au contraire ! Vous éviterez ainsi les frustrations et accélérerez votre métabolisme. Et quitte à vous faire plaisir, allez-y à fond ! Le meilleur moyen de gérer l'abondance de nourriture sans compromettre sa ligne reste de **se faire plaisir** intelligemment. Bien sûr que vous avez droit aux escargots et aux pommes dauphine, mais seulement après avoir rempli votre assiette de légumes et de protéines maigres. Et si vous avez encore peur de ne pas résister à la tentation de vous jeter sur le buffet, prenez vos dispositions en fonction. Pré-remplissez-vous l'estomac avec des produits sains avant de vous rendre au réveillon ou faites-vous plaisir avec les huîtres, les fruits de mer et les crudités en entrée pour ne pas être tentée de reprendre trois parts de foie gras ou de confit de canard. Le lendemain, allongez votre séance de cardio et ne soyez pas fataliste ! Votre réussite ne dépend que de vous. Ne vous positionnez pas en victime, **c'est vous qui tenez les rênes**.

Faites-vous plaisir, profitez des convives et... gardez-moi une part de bûche !

♡ Cassey

Les menus minceur spécial hiver

LUNDI	MARDI	MERCREDI	JEUDI
Petit déjeuner Céréales à haute teneur en fibres avec du lait d'amande sans sucre ajouté et 2 cuil. à soupe de graines de lin moulues	**Petit déjeuner** Porridge gourmand aux amandes : 100 g de flocons d'avoine cuits, 1 cuil. à soupe de purée d'amandes et 1 cuil. à café de sirop d'agave	**Petit déjeuner** Céréales à haute teneur en fibres avec du lait d'amande sans sucre ajouté et 2 cuil. à soupe de graines de lin moulues	**Petit déjeuner** Smoothie multivitaminé : ½ poire, 1 kiwi, ½ banane préalablement congelée, 2 poignées d'épinards hachés, 1 dose de protéines en poudre et de l'eau pour atteindre la bonne consistance
Collation Smoothie de Noël (p. 242)	**Collation** Brownies menthe-chocolat (p. 240)	**Collation** 2 galettes de riz avec 1 portion (30 g) de fromage allégé en matières grasses	**Collation** 3 tranches de filet de dinde à teneur réduite en sel, 1 pomme
Déjeuner Soupe paysanne au kale (p. 235)	**Déjeuner** Patate douce en robe des champs (p. 236)	**Déjeuner** Salade de pois chiches : 100 g de quinoa cuit, 50 g de pois chiches en boîte, 1 tomate bien mûre émincée, 1 petit concombre émincé, et 2 poignées d'épinards frais hachés, assaisonnés avec 1 cuil. à soupe de jus de citron, 1 cuil. à café de moutarde de Dijon et 1 cuil. à soupe de persil haché	**Déjeuner** Soupe paysanne au kale (p. 235)
Collation Brownies menthe-chocolat (p. 240)	**Collation** 1 petite banane, 1 cuil. à soupe de purée d'amandes		**Collation** Yaourt à la grecque allégé en matières grasses
Dîner Curry de pois chiches : 50 g de pois chiches sautés avec 50 g de tofu, 25 g de chou-fleur et 8 poignées de kale haché, 1 cuil. à café de curry et 30 ml d'eau	**Dîner** Poulet aux légumes : 1 filet de poulet rôti (115 g), 200 g de légumes vapeur (brocoli, chou-fleur, kale) et 1 patate douce	**Collation** ½ avocat arrosé de jus de citron	**Dîner** Poulet fiesta : 1 filet de poulet cuit (115 g), servi avec du guacamole (½ avocat, 1 tomate hachée, 1 cuil. à soupe de coriandre hachée, 2 cuil. à café de jus de citron vert, 1 cuil. à café de piment vert haché) et 4 poignées de mesclun
		Dîner Courge spaghetti à la dinde et à la tomate (p. 237)	

Les recettes suivies d'un folio sont détaillées dans ce livre aux pages correspondantes ; quant aux autres, elles sont si simples que vous pourrez les réaliser en un tour de main !

VENDREDI	SAMEDI	DIMANCHE
Petit déjeuner Porridge croustillant aux amandes : 100 g de flocons d'avoine cuits, 5 amandes hachées, 1 cuil. à café de cannelle, 1 cuil. à café de stévia	**Petit déjeuner** Gaufres vanillées (p. 234)	**Petit déjeuner** Muffin minute au potiron et aux épices (p. 233)
Collation Brownies menthe-chocolat (p. 240)	**Collation** Quelques sommités de chou-fleur, 50 g d'houmous	**Collation** Brownies menthe-chocolat (p. 240)
Déjeuner Sandwich crudités : 2 tranches de pain aux graines germées, 2 tranches de bacon de dinde, 1 rondelle de tomate, 1 poignée de mesclun	**Déjeuner** Mini pizza : 1 muffin anglais tartiné de 60 ml de sauce tomate, 50 g de brocoli vapeur émincé, 115 g de filet de dinde à teneur réduite en sel, le tout parsemé de quelques pincées de parmesan râpé	**Déjeuner** Sandwich mimosa (sans œufs) (p. 136)
Collation 1 pamplemousse, 10 noix de cajou	**Collation** 1 petite pomme, 1 cuil. à soupe de purée d'amandes	**Collation** 1 poire, 10 amandes
Dîner Volaille et purée de chou-fleur : 100 g chou-fleur vapeur, mixé en purée avec 2 cuil. à soupe de yaourt à la grecque allégé en matières grasses, et servi avec 1 filet (115 g) de poulet ou de dinde cuit et 4 poignées de kale vapeur	**Dîner** Bolo burger végétarien (p. 238)	**Dîner** Dinde/choux de Bruxelles rôtis : 1 filet de dinde (115 g) cuit et 6 choux de Bruxelles (coupés en deux, enrobés de 1 filet d'huile d'olive vierge extra et rôtis 20 minutes à 200 °C)

On a réussi, les filles !

J'espère que vous avez aimé voyager et vous entraîner avec moi au fil des saisons ! Vous voilà maintenant en possession d'une véritable malle aux trésors dans laquelle il vous suffit de piocher pour trouver des exercices à faire seule chez vous ou avec des amies.

Entraînez-vous autant que possible, pas seulement pour perdre du poids mais aussi pour devenir plus forte et plus agile ! Cherchez à acquérir le contrôle total de votre corps et à maîtriser vos moindres gestes à la perfection. Lancez-vous également des défis et osez vous lancer dans des choses que vous ne vous pensiez pas capable de faire. Vous avez cette flamme en vous, je vous le garantis !

Enfin, même si les exercices proposés dans ce livre sont conçus pour vous aider à vous sculpter un corps de rêve, rappelez-vous que vous êtes déjà magnifique à l'intérieur – ne laissez pas le chiffre qui s'affiche sur la balance déterminer votre valeur intrinsèque. Il ne s'agit pas de faire preuve de vanité, mais de voir plus loin que la façade, le superficiel. Laissez ces exercices vous donner de la force, attiser votre feu intérieur et vous pousser à mener votre vie avec passion et détermination. Trouver la paix intérieure : voilà ce vers quoi ces exercices vous guideront ; alors que demander de plus ? Être en accord avec soi-même est le plus belle réussite.

♡ Cassey

REMERCIEMENTS

Vous vous rappelez quand, adolescentes, on plaisantait en disant : « Un jour, j'en ferai un bouquin » ? Jamais je n'aurais imaginé avoir l'opportunité d'écrire un livre, publié qui plus est par l'une des maisons d'édition les plus réputées des États-Unis. Je tiens ainsi à remercier tous ceux qui ont croisé ma route et qui, directement ou indirectement, m'ont menée sur la voie qui est aujourd'hui la mienne.

Un grand merci à tous mes professeurs qui m'ont poussée sans relâche à améliorer mon expression écrite, ce qui m'a permis par la suite de tenir un blog et désormais, d'écrire ce livre.

Mention spéciale au Dr. Crain qui n'a jamais douté de moi, même quand je n'étais à l'époque qu'une étudiante un peu perdue. Outre mon diplôme de biologie, j'ai gagné à Whittier College votre indéfectible amitié et je vous en suis très reconnaissante.

Merci également à Evelia Burnett qui m'a fait découvrir le Pilates en me donnant mon premier cours !

Merci aussi à tous mes élèves ! Rien ne me comble plus que de vous voir suer à grosses gouttes tout en gardant le sourire pendant mes cours.

Merci à Stephanie Knapp et Heather Jackson de chez Random House pour m'avoir donné l'opportunité de partager mon savoir.

Merci à David Kim d'avoir bien voulu traverser les États-Unis avec moi pour prendre les magnifiques photos ce livre. Je n'oublierai jamais nos mines déconfites quand, après des heures passées dans le froid à porter notre matériel photo pour atteindre un lac d'altitude dans l'Utah, nous avons découvert que les fleurs sauvages dont nous avions besoin pour notre séance photo étaient déjà toutes fanées !

Ou quand je flottais sur mon tapis de yoga au beau milieu du désert de sel de Bonneville. Que de bons souvenirs !

Merci à Danielle Bernabe pour avoir préparé et testé avec moi toutes les recettes de mon livre. Notre burger est un héros : personne ne viendra lui chercher des crosses !

Merci à mes amis chez YouTube qui m'ont aidée à mettre ma première vidéo de POP Pilates en ligne en 2009. Le travail acharné que vous fournissez pour promouvoir le contenu de vos utilisateurs révolutionne chaque jour un peu plus le monde des médias et je suis fière de faire partie de cette aventure !

Merci à Will Hobbs de m'entourer de sa gentillesse et de me faire profiter de son intelligence et de ses idées ambitieuses pour Blogilates ! Tu te rappelles quand, pour la première fois, tu m'as demandé si je voulais écrire un livre ? Je t'ai pris pour un fou mais, aujourd'hui, je te suis très reconnaissante de m'avoir posé la question. Je suis épatée par tous les projets que nous arrivons à faire aboutir quand nous unissons nos forces.

J'adresse également mes remerciements à ma petite sœur, Jackelyn, qui m'a toujours encouragée à réaliser mes rêves. Ta vitalité, ton optimisme et tes qualités de meneuse m'ont poussée à me dépasser et à me construire la vie dont je rêvais. Rien n'arrêtera plus jamais les sœurs Ho ! Je t'aime, Am!

Merci à ma mère pour avoir toujours, toujours, toujours cru en moi. Tu m'as soutenue dans tout ce que j'ai entrepris en grandissant – que ce soit en confectionnant les costumes d'Halloween et les robes de princesse que j'imaginais, en me prêtant main-forte, parfois tard le soir, pour COOPLEX, l'association de vente de gâteaux que j'avais montée au lycée, en m'aidant à créer le visuel des premiers sacs *oGorgeous* ou en parcourant mes commentaires sur YouTube – et encore aujourd'hui avec Blogilates. Ton enthousiasme m'a permis de devenir une entrepreneuse sans peur et sans reproche et ton amour m'a rendue forte et persévérante. Merci pour tout. Je t'aime tellement, Maman !

Merci à mon père également pour être resté fidèle à lui-même. La confrontation de nos deux personnalités fait parfois des étincelles, mais c'est ce qui affirme d'autant plus nos tempéraments de feu respectifs. Nous avons eu nos différends par le passé mais aujourd'hui nous en avons fait le tour et rien ne me rend plus heureuse que de savoir que tu es fier de moi et que nous pouvons désormais travailler main dans la main pour construire de grandes choses. Un grand merci à toi. Je t'aime.

Et enfin, je tiens à remercier Sam. Quand je vois d'où nous sommes partis, je n'arrive toujours pas à croire que nous avons réussi à en arriver là aujourd'hui ! Nous travaillons si dur tous les deux mais, au fond, que pourrions-nous faire d'autre de toute cette énergie ? Les rêves peuvent vraiment devenir réalité et je suis comblée de pouvoir partager cette réalité avec toi. Je t'aime, Woodge.

CONTACTS

YOUTUBE : des séances d'entraînement gratuites mises en ligne chaque semaine pour s'entraîner à la maison ! YOUTUBE.COM/BLOGILATES

MY BLOG : pour suivre mon actualité, découvrir les dernières séances en ligne et mes recettes du moment. BLOGILATES.COM

L'APPLICATION BLOGILATES : disponible sur iPhone et Android

FACEBOOK : retrouvez-moi sur FACEBOOK.COM/BLOGILATES

TWITTER : envoyez-moi des tweets @BLOGILATES

INSTAGRAM : suivez-moi sur @BLOGILATES

MA LIGNE DE VÊTEMENTS DE FITNESS : BODYPOPACTIVE.COM

RÉFÉRENCES

"The Acute Effects of Exercise on Mood State." See https://ulib.derby.ac.uk/ecdu/CourseRes/dbs/ currissu/Yeung_R.pdf.

Dillman, Erika. The Little Pilates Book. New York: Warner Books, 2001.

Giampapa, Vincent, Ronald Pero, and Marcia Zimmerman. The Anti-Aging Solution. Hoboken, NJ: John Wiley, 2004.

Gleick, James. Chaos: Making a New Science. New York: Penguin, 1987.

Griffith, H. Winter. Minerals, Supplements, & Vitamins: The Essential Guide. Tucson, AZ: Fisher, 2000.

"History of Joseph Pilates." Pilates Technique. PilatesTechnique. www.josephpilates.com/joomla/history-of-joseph-pilatesa-little-about-theman- behind-it-all.html.

Marrone, Margo. The Organic Pharmacy. New York: Duncan Baird, 2009.

Pronk, N. P., S. F. Crouse, and J. J. Rohack. "Maximal Exercise and Acute Mood Response in Women." Physiology and Behavior, 57 (1995): 1–4.

Stanway, Penny. The Miracle of Lemons: Practical Tips for Health, Home, and Beauty. London: Watkins, 1988.

Tannis, Allison. Feed Your Skin, Starve Your Wrinkles. Rockport, MA: Fair Winds Press, 2009.

"Water: How Much Should You Drink Every Day?" Mayo Foundation for Medical Education and Research. www.mayoclinic.org/healthy-living/nutrition-and-healthy-eating/in-depth/water/art- 20044256.

TABLE DES RECETTES

INDEX DES RECETTES

TABLE DES EXERCICES

INDEX DES EXERCICES